劉福春・李怡 主編

民國文學珍稀文獻集成

第三輯

新詩舊集影印叢編　第96冊

【于賡虞卷】

魔鬼的舞蹈

上海：北新書局 1928 年 3 月初版

于賡虞　著

孤靈

上海：北新書局 1930 年 7 月初版

于賡虞 著

花木蘭文化事業有限公司

國家圖書館出版品預行編目資料

魔鬼的舞蹈／孤靈　于賡虞　著 — 初版 — 新北市：花木蘭文化事業有限公司，2021〔民 110〕

110 面／144 面；19×26 公分

（民國文學珍稀文獻集成・第三輯・新詩舊集影印叢編　第 96 冊）

ISBN 978-986-518-473-5（套書精裝）

831.8　　10010193

ISBN-978-986-518-473-5

9 789865 184735

民國文學珍稀文獻集成・第三輯・新詩舊集影印叢編（86-120 冊）
第 96 冊

魔鬼的舞蹈
孤靈

著　　者　于賡虞
主　　編　劉福春、李怡
企　　劃　四川大學中國詩歌研究院
　　　　　四川大學大文學學派
總 編 輯　杜潔祥
副總編輯　楊嘉樂
編　　輯　許郁翎、張雅淋、潘玟靜　美術編輯　陳逸婷
出　　版　花木蘭文化事業有限公司
社　　長　高小娟
聯絡地址　235 新北市中和區中安街七二號十三樓
　　　　　電話：02-2923-1455／傳眞：02-2923-1452
網　　址　http://www.huamulan.tw　信箱 service@huamulans.com
印　　刷　普羅文化出版廣告事業
初　　版　2021 年 8 月
定　　價　第三輯 86-120 冊（精裝）新台幣 88,000 元

魔鬼的舞蹈

于賡虞 著

北新書局（上海）一九二八年三月初版。原書三十二開。

魔鬼的舞蹈
于賡虞著

無須叢書之一

魔鬼的舞蹈

于賡虞著

獻與盧隱女士

糺思心以爲纕兮，
編愁苦以爲膺；
折若木以拂日兮，
隨飄風之所以。

——屈原悲回風

目次

天使在流雲

修長的殘陽古道之上——

只我疲憊的旅人，因過量悲悽之重壓，遂倒臥於古墓之側。無限的寂靜，冥漠裏飛雁南去，烏鴉歸林，蒼黃的面顏上漫着慘寂之淚痕。

——覺是這樣飄泊千古，徬徨千古而無歸宿的人！

不堪想像與憶念，往日被刼的青春，愛戀，願望，已被萬人殘踏爲腥臭之汚泥，其醜陋有如墓邊殘露的骨骸。噫——即如是骨骸，也有着慘白灰黃之顏色，爲其毀滅之粧飾。

往日作了黑暗中摸索的犧牲，寶劍銹了，未留下慘紅的顏色。今，又如僵死的屍體，山頭上殷紅之流蚩，不久，將在黑暗腐爛，淪沉。一切如一黑色的夢幻——

如一夢幻呵，廿餘載飄泊的生命，在此不知名的荒途裏，隨夕陽慢慢被夜色吞沒！我伏此英雄的殘骸之墓，作羞辱的頹敗的幽泣，斯時，心頭顫動的音韻，與落葉的飄墜有着寂寞的諧和，

—2—

夜鶯淒鳴，從山巔飛入於古林。

星月冷朦，霜已重，落葉荒草顫慄於夜風。在上帝與命運（有時我曾把他們踏於足底）的安排裏，我倒臥於古墓之側，作懺悔的號咷的痛哭。——這宇宙處處是我的搖籃，孤囚鐵窗的獄籠：在這里我的醉夢開始，又將在這里完結，只荒草而無薔薇。今——

夜色業已重重，又須開始我黑暗艱途的摸索，在黑暗天使之墨翼下，消磨着辛苦的生命。嗟嗟，誰知我力已疲，心靈之泉已枯，只抱着願望之殘骸，向四野悵望，困頓於饑餓，乾渴，疲病，無村落與酒店客留我這頹敗的旅人！

——天知道，只我在自己的血泊中，作着傷慘之夢：一切似一飛逝的利箭，落於時間慘黑之深淵。幻然，黯然，眼瞎了，耳聾了，已不復能分別夜色，慘音。

眼淚滴落於荒草上的足音……從瞎了的眼睛與蒼黑裏，遙遙望見：

……天使抱着薔薇微笑於流雲……

夢痕

入夢了，似一架活屍我徘徊於戰後的殘墟，失去了一切的感覺。這頹敗世紀之顏色，聲韻、情調都已模糊；面前，只是一個漆黑的啞了的世界，似人類有史以來未有的夢境。

我正在悲惘，嘆息着無果的往日，忽然，一座輝煌的殿堂，在面前毒烈的陽光下，變爲一坐殘醜的墓碑：我的希望實現了，經過疲憊長途的尋求。黑黝的碑上刻着淡白的陰文，紀載人類惡毒，虛僞，陰險，詐騙的行爲：以靑年爲不羈的野獸，鞭打了遍體傷痕；以少女爲醜陋的骷髏，棄置於無底之幽谷！在碑上，漫着枯了的薔薇，象徵着人類希冀的消息；在碑下躺着死了的上帝，慘白，靑紫的顏色顯示其已往之罪戾。我的眼睛花了，經過片刻的靜寂，使我得到悲慘的迴憶。

呵，生命之消息近了，一切都顯示着微笑的喜悅，此刻，黯淡的地獄又是一個偉大的美麗的世界：魔鬼與天神聯舞，夜鶯與百靈諧鳴，惡漢與美女私語，一切，一切是一個諧

— 6 —

和的世界。但，不幸，我爲其中一切衝突的起點，我卽不殺戮一切，亦不能眷愛一切，因爲我的可感的靈性在人間業已毀滅了。如今，我只是一位暴燥，慘毒的狂人，靑年與少女被我殺了，老年人與玫瑰花被我殘踏了，在我的世界裏，無需這些，這些無用的粧飾。我任情悲歌，歡笑，豪飲，旋舞，在醉後我火燒了墓碑，踏爲碎石，此時，我爲地獄之英雄，統治了其中的一切。夢……

我慘然了，這英勇使我憶起人間的怯弱，頽敗，罪痕，痕跡。我的寳劍銹了，雙手業已癱軟，病痛，乾枯，只有着羞辱的戰慄，爲其不自然的樂音。我無處安息，無路可去，無人共語，在羞愧與憤怒的心情下，將酸淚滴落於永世之傷痕。現在，我知道了：世界上只有我是孤獨的人，春光照不到我，花香吹不近我，無限的蒼黑關於了我這頹敗的廢人。於是，只有我是黑黯長途的摸索者，一個疲乏的瘦影，在殘毀的化石上，在朧亂的蕪草上，時時吐出微弱的嘆息。

最後在慘白的月光中，我用殘銹的寶劍，刺入心中，腥紅黑紫的血灑遍了碎碑，這不是我的怯弱之證明與懲罰，乃是不堪容忍悲哀之遺痕。斯時，我仰視天空，只有零落的星

漫於蒼幕，沒有飛鳥，沒有虹影，地上也沒有廟宇，竹林，
花卉，茅屋，一切寂寞了，這世界在我腥紅的血泊中，漫着
渺茫的餘哀：如是完結了我的慘夢……

夕天

這神奇的夕天，正有着夜的偉大之將來。
西方茫蒼的山岡掛起紅色的帳幕，像有不羈的魂靈正在
慢慢的律動。我的殷紅如落日的希冀已深墜山涯，尚有如劇
病的人之氣息，一陣低泣，一陣微吟，在此蒼黑之天宇。
看，那柿紅的流雲，又披上了深藍的外衣，幻變成一位
至爲尊貴，冷厲，莊嚴的神祇，想在此漫蒼蒼無主宰的世界

裏，判定我的飄泊的命運，從此滅毀。

我底首徘徊於此古松蔭隙下的山坡，雙足刺滿了荊痕，疲啞之喉已不能低歌。這崎嶇的山道閃耀着逝去的幻想，綠露的骨骸，預示着殘灰色的將來。唉，我的受傷的靈魂，像是路側被踐踏着的霜霧中的野花，殘了！

夜神慢慢的張起她的雙翼，輕輕的將我擁在懷中，我默然無語，但幻想却又從黑暗裏慢慢蘇醒。在此空闊的黑暗裏，我的魂，呵，像是一個奇蹟，又在跳動，震慄，雙眼注視着將幾消逝的紅雲，心間亦燃起死灰的餘燼，在綠瑩瑩的閃明。

這是我的世界了：去罷，神祇，去罷，鬼怪，現在，要將我謀害人類的毒藥，一粒粒的撒向蒼空，山頭，海上，園籬間；將來，就在晨曦初醒的明朝，會創出一個理想的世界。

這神奇的夕天，正有着夜的偉大之將來。

深山何處鐘

深山何處鐘聲，驚醒我於楓葉之塚，夕陽逝了，只徬徨，恐怖，失望與悽愴戰據着我的心胸。向何處尋覓：華山蒼茫，煙水模糊，斷橋上酒意初醒，芳蹤遠了。

將永遠，永遠為一位無名的孤僧，風息了，人靜了，寥落之淚漫洒於此疲憊的旅程。深堪的迴憶裏，殘夢從息滅的餘燼復醒，呵，芳華的青春之間中，曾有，曾有香豔之跡痕，綴飾着生命之榮華；而今人老了，空白了少年頭，空追逐，空飄泊，空築了理想的天堂，竟無歸宿之境！

夢醒後，一勾殘缺之新月似有情，似無情無語的泛於蒼空……從寂寥的蹣跚的孤影，足下楓葉之殘紅，知往事如夢；往事如夢呵，任千萬朵雲影遮住了山麓邊，江水濱的曲徑！

★

深山何處鐘聲，夜色朦朧，萬籟死靜，英雄夢，美人情——破了！在此榛荒的僻處，誰知道是天涯孤客的詩人之塚尋覓：羣山蒼茫，煙水糢糊，斷橋上酒意初醒，芳蹤遠了。

★

深山何處鐘聲，無事將我從好夢驚醒，無事將我從好夢驚醒！少年情，囘心中，看萬點蒼痕繚亂，幻變，相思淚灑於夜風……最傷心，峰雲巔孤雁飛過時的悲鳴！

我的神，經過長途的追尋，病了，人間無藥診醫此疲之的失望的心頭之傷痕。今，縱將我置於萬花叢中，幽靜的靈泉邊，也不能馥馥的芳香，優美的低吟。逝了：我的地獄，人間，天堂！衰老的希望，衰老的地球，衰老的星羣，一切，萬千遺恨化爲灰煙，荒草線繞於孤塋。

想——當日榮華，桂冠，愛情，友朋，散了！未知長眠的白骨，無語的心靈，今日是如何憔悴模樣，又經過了這幾許春花秋月，霜露寒風！我以血色的玖瑰之酒，淒索的飄泊之淚洒於荒塚，盡我微末的憑弔的感傷之情。今，在淡漠的月光下，只我尙在此徘徊，因記憶我墮於不堪容忍的舊夢，慘情，這荒蕪山麓之湖濱卽人間慘絕之境。

從此，我慘笑了，雄心，豪夢隨山，水，荒草，巨林睡了。人間，地獄，天堂，何處有我心頭閃動的麗影？向何處，沉於昏黑的遲暮，只有不眠的哀思尚在心中微微的顫動！因是——

我陷入於深切不堪救藥的悲幻之境。低泣，哀吟，我的神，怎樣讓我消度殘生！灰煙縷縷如往日之夢痕尚在面前閃動；往事如夢呵，任千萬朵雲影遮住了山麓邊，江水濱的曲徑！

—20—

魔鬼的舞蹈

這正是偉大的夜之世界！

飲宴散了，濃烈的紅酒給我不可捉摸的力量，因而，我倘能在生命的國土的劫餘的殘爐中悲哀，迴憶，痛哭。

不堪言，生命於往日，現在，只是一個飄渺的夢，在魔鬼的舞蹈與歌吟中無痕的逝了！我不能，不堪想像歌舞的慘影：聲韻，步態，只是一片模糊的慘紅與蒼黑的結體。微笑與溫柔變爲不忍一視的慘紅，憤怒與慘暴變爲刺心慘慟的蒼黑：遠了，躍動的生之希望！這一切在今宵的迷醉中，踉蹌中都是毒烈的火箭，射中了已死之心靈。

星月冷明，萬有沈於夢境，只我孤零一人臥於海濱之草茵，任自然無忌的摧殘，傷害；任魔鬼無忌的在心頭舞蹈，歌吟。在它踉蹌的步態，朦朧的歌聲裏，泳化紅酒，紙煙，毒藥於一切希望之宮。呵——昔日金色的蓬髮業已蒼白，蘋果的面顏業已蒼灰，一切，一切如一龍鍾的老人——青春死了，其顏色如枯萎的薔薇上之露水。

毀滅！將生命拋於奇醜的蒼黑的汚池，毒斃於死水，無須戀戀於痛苦足下之生命，作魔鬼舞蹈與歌吟之場！嗟呼，孤魂，沉醉能，沉醉於微笑，沉醉於死亡，沉醉於輝煌的宮殿，沉醉於長流的靑堤，因是，縱魔鬼歌舞於心峰，髮上，亦能暫時淪於不能記憶的爛醉——有如死滅，將一切遺忘。

噫，如斯進行着生命之韻調，永遠，永遠沈於不可捉摸的夢境。飲宴散了，從毒醉中我窺見了這平靜的生命……

這正是偉大的夜之世界！

送君流落天涯

送你流落天涯，在此黯慘荒凉之夜，姑娘，請莫傷心，
我也正是慘愁地獄的流浪人，流着飄泊之淚。
悲哀的命運之火正在燃燒，照徹着你我的世界！
「一切神祇慘死於我之足下」，壯語隨眼淚而俱下，打
破了無限的靜寂，「願從此流落於江海，流落於荒山，葬骨
於無人之境，以酒與詩爲唯一之裝飾」！從你顫慄遲疑的幽

罷裏，滾滾暢流的眼淚裏，給我了生命的神秘的黯愁之啟示，終於我放聲痛哭了，在微微冷明的月下。

「一切都在衝突的世界裏發育，擴張，達到極限；一切都在輾轉，苦吟，在深陷的阱獄中不得解脫；一切都死滅於頹敗，慘苦，不可醫治的病症裏！這就是人類所歌頌，眷戀的世界；就在這世界裏，人類寬慰着自己的靈魂，宛如輕眠於天鵝絨的搖籃！」

一切復陷於沈默死寂，無人語，鳥聲，微風，秋葉與荒草亦都在深眠的夢境。我愔然了！

微薄銀霧中的月光，照着兩個微顫的慘白之臉色，寂然，默然，像古海中風浪殘噬的化石，顏色殘了。無語裏，宇宙沈於絕限的神秘，生命之行列正向墳墓的大空進行；在這裏只有兩個佇立抱頭之影，與點點淒寒之淚。

「從此，你去了，我的苦命的伴侶，願你在人生上，以殘餘的英雄之力，踏碎了長吁與相思之骸，在崎嶇渺茫的旅途裏。縱飄泊江邊，遠海，或不知明的山麓，我知道，這只能增加風霜中你的臉色之驕傲與微笑，因寂寞的孤苦已投諸深淵的江心與荒蕪的山麓——

……生命已沈陷於渺茫的征途，如今正呼吸着恐怖的氣息，在此無人知道的黯影裏……神與魔正在冥冥的眼前竊笑，跳舞，歌唱，想着不久即可將此戰慄之靈魂送入血口，破滅了生命之靈花，完成其希冀之夢……

「一切神祇慘死於我之足下……世紀衰敗了，眼淚隨黯灰的霧雨而齊下……我正做着毀滅之大夢，世紀衰敗了，顏色業已蒼灰，聲韻業已疲啞，眼睛業已曚朧，一切，都在病魔的巨掌！此去，倘若就是我安息的歸程，那，墳墓定是鎮靜的充滿了微笑，薔薇，瑤草的寶宮。如此，我要飄向不可知的旅程……」

一切復陷於沈默死寂，無人語，鳥聲，微風，秋葉與花草亦都在深眠的夢境。我慘然了！

生命永遠立於飄泊的船舵，從河流到江水，從江水到巨海，野岸有着零亂的花草，天上有着飄動的暗雲。姑娘，飄流着去能，乘長風，破巨浪，探探生命的前程！在此黯慘荒凉之夜，我們都是慘愁地獄的流浪人，灑着飄泊之淚，在不可知的夢境……

悲哀的命運之火正在燃燒，照澈着你我的世界！

朝霧

從噩夢醒來，黑暗的天宇已露出微明的天色：我微笑了，見案頭之幽蕊已開，馥馥清香點綴了這暗慘之地獄。從帷幕出來，看漫天浮着銀灰之淡霧，像有着無限的神秘的消息，於是開始了我無目的之尋求。

這古老的河畔只是無限的靜寂，兩行無語的老柳與一泓蒼綠之死水，似尚在夢中之老人未醒，作其綺麗之幻想。

沿岸徘徊，只我孤零一人，心頭有無限的哀思繚繞在煙霧之枝頭與水紋。去了，昨夜之夢，對我地獄中老年之情人的哀戚，有如不散之晨煙飄渺於霧水。

沉默裏，枝頭的老鴉醒了，慘戰的哀鳴的聲韻，深滲於淡霧，死水，深心之淚痕。如是我陷於淒切的回憶：往日，呵，像一座古寺之塔，從偉大之近周層層向穹蒼渺小，消滅了；像一座黑黝之山洞，從朦朧的口邊，慢慢伸於慘黑無光的洞穴！現在，宇宙仍漫照着慘黑之幕紗。

遠遠清切之鏘睟使我驚惕，注視，從彼岸空冷之街衢，走來一位算命的先生。我愴然了，這駱駝似的隱忍，苦厄，徬徨於沙漠之命運，有如紅日殞落之夕天，有如殘冬迷漫之夜霧，其中有無限秘密之悲哀。噫——沉憶裏，不孝者命運之鑼遠了，在此不見人影的朝晨；我默泣着，對此古柳與死水之寂靜。慘慄之心的輓歌，隨其遠渺之聲韻，消逝於空寂之晨霧裏——

一切，一切都淪於幻滅的空虛……

— 34 —

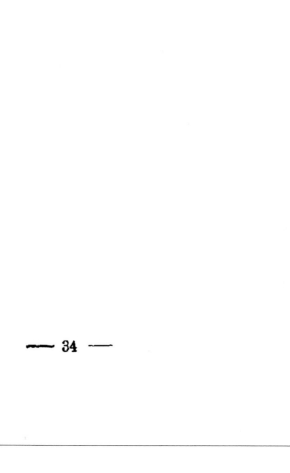

爲了一片焦土

爲了一片焦土，讓無語的白骨，在寂寞的秋夜長眠，是以我痛飲於人間，爭鬥於人間，戀愛於人間：

今，老了，顏色如從肢枝脫落之秋葉，將青春之屍體，飄墜於汚泥；是以青春之神爲我的無花無果之時光而哀泣，天亦下着濛濛的霧雨，世紀已完全淪入於蒼寂。

有一日，我將隨命運的指示，倒於地下，讓荊棘長遍於白骨之上，沒有花，沒有香，沒有臭，人們好不留意的過往——似一夢幻，似一夢幻呵，和熙的日光永不淪沉，習習的春風永不休息，讓荊棘萬載長青，永不將我之醜態暴露於塵埃；是以我在九泉初次流了微笑之淚，混合於奇臭之汚水！

願如是將我生命的顏色，在青春之神的面前殘凋脫落了。

人類！莫忌恨，莫暗算，莫再和我爭鬥，我不驕傲我的青春：我莫騎過海龍似白馬，沒穿過糾糾武士的盔甲，沒有殺害剋斃我的一切的敵人！但是，一切對我不和諧，嬰兒見我流恨惡之淚，婦女見我唸嘲笑之曲，一切，我的世界，似昬昏的地獄。人類！我不驕傲我的青春——我的青春呵，似一塊無生意的古海之化石，永沒受過女神的微笑的光澤之潤飾，死了！

願如是將我生命的顏色，在青春之神的面前殘凋脫落了。

人類！在無可如何的生命急湍的激流裏，這廿餘載飄泊之光陰，似倏忽之一夢，這一夢又滅沒於無底之空虛；誰想，神呵，誰想廿餘載的生命，即到我早熟的老年！人類！將你們的影，你們的血，你們的力，淡飾於萬古長存的殿堂，爲宇宙間生命的永遠之光耀。因是，神將爲你効力，加冠，爲你種下薔薇，作愛之象徵。在你們生命的痕跡裏，沒有我的踪影，我是一箇無人注意的淪落的廢物，將永眠於無名——將永眠於無名呵，

願如是將我生命的顏色，在青春之神的面前殘凋脫落了。

如是，將我所有的一切捐於灰敗，棄於蒼黑，抛於煙海，在人間不需任何顏色作我生命之粧飾。赤裸的來於世間，

伊赤裸的走入空虛，如是，我完了天賦與我的可憐的夭死的英雄之旅程！沒有哀恨，沒有詛咒，亦沒有希冀，在人們歡笑，飲宴，高歌，密吻的時刻，我將從一片焦土化爲污泥，粧飾着我殘留的永遠之沉默。

今，往日的狂飲，往日的爭鬥，往日的戀愛死了！在此寂寞的秋夜，只青春之神正爲我的無花無果的時光而哀泣，天也下着濛濛的霧雨，世紀已完全淪入於蒼寂。

願如是將我生命的顏色，在青春之神的面前殘凋脫落了。

— 40 —

冬夜行

霜霧冥濛着古老之街心。

★

暗慘的燈影下靜悄悄的沒有行人，我伴着一顆可憐的孤魂往前去了，一步一步的踏着無底的情愛之陷阱，這正是對而不見人影的中夜。

我病了，跟蹌的步伐像是酩酊的醉人。慘痛的靈魂撤不開濃烈的霜霧，飄渺的浪費的生命冒險的，隱忍的完結着歷程，走向死滅的燈影。

★

霜霧冥濛着古老之街心。

★

身邊沒有鋒利的寶劍，完成怯弱的區微的心慾，眼淚寂寂流下，結爲創傷之淚晶。我不能殺死命運之神在此蒼夜，散髮橫披了，我是五千年來的囚犯，罪人！

我只是個無歸宿的過客，姑娘，無時無刻不戕殺着荆棘夢幻中的生命。無聲了，這賸餘之殘骸，將要深葬於白蘭地之地獄，永遠不會帶起桂冠，作刹那之炫耀。現在我正一步一步的踏着無底的情愛之陷阱，這正是對面不見人影的中夜。

★

霜霧冥濛着古老之街心。

空夢

秋！你寒殘落葉之聲韻，把我從寥闊，黯灰的夢谷驚醒，默然注視着蒼灰天空的殘月與雲影。我疲憊於奔命像桬枝上倦老的烏鴉，在霜霧中，冥漠的慘光中靜待獵人的來臨——我的運命！

在寒顫的月光中，長吁一聲，將此無限的死寂打破。但不久這哀音又漩化於沈靜。這還不到霜雪霧雰的殘冬，凜冽，凶酷的北風已無忌的向我毒攻；我已是瘡痍滿身，箭痕遍胸的殞落之英雄。

我想了：命運早已註定我的生命在慘變的一切中，終於是淪泯於時之黑海，沒有痕蹤；但卻無勇氣摧殘這無光明與情愛之餘生，從萬丈高聳的懸崖，深跌於無底的幽谷之中！這從人間帶來的傷痕，無邊的海水洗滌不凈，殘紅的血痕像是夕陽流空，我的殘戰之靈魂，尚在其中呻吟，慄動。

走去罷，不能死在此陰濕污泥之草地，死，也要死於晶明遼闊的高峯。但，可憐如今在死氣緊壓的蒼夜中，我只有着疲病怯弱的魂靈，不能預說深心的隱衷，在此老衰的世紀，亦沒有屠殺的心情。

是了，我正患着無名的劇病，生死之界限像是無邊之慘霧，模糊黯淡不分明。此時雖則清醒，還正在夢境。那幻想中在人面前閃耀的榮華，蒼黑苦水粉飾着美麗顏色的愛情，不堪言，已變成被人踏踐的焦土，毒藥似的毀滅了聖潔的生命。我來時，這宇宙是無限的死靜；生存時，這宇宙是無限的死靜，我去時，這宇宙仍是無限的死靜。

如今，就是最後我將曾經承受的一切毒意，冷譏與蔑視，都幻作珍異的花草，置於記憶與遺忘之寶宮。這是生命之苦汁，裏邊有情愛，榮譽，希冀，永生的歡悄，醇美的好酒，在寂寞中我微笑的孤飲着，沈醉着裝飾我的空夢。

秋！你寒殘落葉之聲韻，把我從空闊，黯灰的夢谷驚醒，默然注視着蒼灰天空的殘月與雲影。我疲憊於奔命像寒枝上倦老的烏鴉，在霜霧中，冥漠的慘光中靜待獵人的來臨—

—我的運命！

人散了

人散了，在蒼茫的夜半，我低首默泣於殘月下，守着不能動轉的疲憊之靈魂。此時業已沒有鐘聲，人語，我的心在顫慄着，苦吟着，麻醉於醇酒之中，哀戚着這妓女似的強笑賣情的命運！因而——

我立誓要踏破所有的友誼！

這是毒藥，也是良劑，在此死寂之夜，我將此苦汁和着冷酒生生的飲下，從過去的深谷中，我失望了，痛哭着夢影間殘餘的哀感之尸體。如今，呵，如今，我慘笑着，歌哭着，足踏着曾經被我鄙棄的上帝，用深心的利刃錐刺着生存於恐怖的希冀，撕破了殘愛之賸餘！月，在你黯慘的寒光中，宇宙一切的美麗，光榮，好意都已消去，只能看見心愛的花草慢慢的萎滅，枯黃的葉兒飄飛。無雨的雲天，無語的大地，無語的荒院中——

逝了，生命途中淒閃的燈光！

黑暗罷，死寂罷，這正是萬情死滅的地域，我像深沈於無邊的寂寞之大海，疲憊的靈魂正需要無限長時間的休息。天知道，我像一匹荒漠間創痛的駱駝，身邊沒有枯草，莫有滴水，因而也沒了天眞的微笑，悅人的巧語！是，記憶中的山海死了，春光逝了，情愛僵了，這病弱的身軀竟成了靈魂輾轉的地獄，吁——

這描寫有一天也會成生命中的奇蹟！

說，我的眞心之情意已隨着寒風飄落了，深葬於萬古不化的奇峯的白雪，深葬於十字街頭的污泥，我的眞心之情意已隨着寒風飄落了。以後，更無微笑，歡聲的以後，我希冀着從白雪中，污泥裏，——生命之荒塚，聽到些慘慟的聲息；寫成一首歌曲，遺留在此無邊岸，無光明，無花草的天宇裏。日出能，日落能，在我這黯慘之地獄，將斷絕了一切的踪跡，音息，只餘我自己，打開酒瓶——

在寂寞中品味着生命麻醉之頹意！

人散了，在蒼茫的夜半，我低首默泣於殘月下，守着不能勁轉的疲憊之靈魂。此時業已沒有鐘聲，人語，我的心在顫慄着，苦吟着，麻醉於醇酒之中，哀戚着這妓女似的強笑賣情的命運？因而——

我立誓要踏破所有的友誼！

傷害

一片荒漠的冷霧，毒氣掩蔽了宇宙善美醜惡的一切，我的眼睛如一未睜眼的小貓受毒氣而瞎了。

我只是一個無知的盲人，不懂慘黑，灰白，血色，微笑，冷醜的意義。我在無明的地獄之深洞，摸索了一個不堪忍耐的長途。現在呵——

又孤寄一人在崎嶇的山道孤行，沒有人語．歌聲，四周只吹着毒惡的猛烈之山風；我慌慄了，有如將執死刑的囚犯，有如虎口中慘鳴的小羊。噫，這一瞬，天，命運與上帝又射放了毒烈的利箭，射死了我的殘病的夢幻，今又給我這如此慘痛之傷害！

在這裏，險惡的周遭裏，我將生命之計畫拋棄於冷霧，惡風，迴憶着地獄人世之苦厄。嗟呼，往日，我將你投於煙海，如敝屣，如殘橘，尚未盡我傷害之嘆息，何需戀戀與惋惜！如今——

情愛與友誼已着了想像中不堪入目的惡醜之顏色，翩翔

於黑色的空間；在那盛大的歡宴裏，我悄悄流着慘惻之淚，

我知道，我是不幸的人，是一個正被時間之神摧殘的無用之裝飾。

想，呵——我的天！霧濛濛，風慘慘，有什麼希望，有什麼歡喜，時間老了，世紀死了！我倒臥於荒道邊無名的孤坟，這荒坟業已殘廢，唯荒草尙在裝飾着古老之哀戚！

罪

罪！呵——我是散髮蓬蓬垢面的犯人！

這正是渺茫的黑夜，死寂中四伏着陰毒的殺機，我的心在慌亂着，衝突着，輾轉於命運的屠場。在此霜霧雰雰的荒途間，我悵眾，遲疑，像是死於夢幻的國土，無力轉動——負着五千年來人類積壓的悲哀。

說，神，忘却了我踐踏你的隱恨，忘却了我毀滅你的殿堂的惡意罷，說我的命運之謎。現在，我像是一具僵凍的尸體，心靈已如枯了的古井，失却了熱與力，有如戰場上中箭墜馬的英雄。

★

眼前，正是夜的幻想之世界，我做着血色，美麗的長步。這正是萬古以來未有的悲劇：

在輝煌的萬目仰慕的舞台上，我殺死了一個無辜的美麗的萬靈凝注的處女：人間的青春消逝了，希望破壞了，從我的慘毒的利劍！人類從此陷於暴亂，慘苦，爭奪，盜竊。在混亂中，我將尸體負於靜寂的山麓，在銀白的月光下，我對於死了的尸體凝視，沉思，哭泣，慘笑。因之，我自墜於無底的黯慘的地獄，鞭打自己之靈魂，以贖毀滅自己的希望；人類美麗的偶像，以她的鮮血粧飾自己寶劍的罪戾！

今，我的心獄有着慘寂的悲哀之顫慄，生命之顏色頽敗了！我曾傷害了給我榮冠的神祇，將榮冠踐踏於足底；我曾踏毀了粧飾我生命顏色的薔薇，投於十字街頭的汚泥；我又曾毀壞了彈出生命之韻律的瑤琴，拋於幽黯的荒谷：我無需這些無用的粧飾！但，我的生命之意義，顏色與韻律所寄托的偶像與希望，現在又死落於我的寶劍，是以——

最後，我緊緊扶抱着尸體，狂吻着冷冷香唇，痛哭向蒼山，明月，苦海，眼淚變成了酸苦的紫血；我復作極度之慘笑，向無極的太空，碧海的星羣，鬼囚的人類，聲韻宛如幽谷的寒風！從蒼黑的空虛裏，敲我懺悔的鏑聲：懷中的尸體，人類的希望，逝了！只我在荒蕪的山巔，作虔誠的祈禱，告哀、從此，因了希望之破滅，生命染了蒼黑之顏色……

★

從此我無微笑，只低首徘徊，我的斑紅如毒蛇的靈魂，殘喘於枯萎的薔薇花下。距人間遠了，回首，我似是從一谷毒濕的冷風中之過來人，尚在蒼黑的境界裏，留着微微的恐懼與嘆息。前邊正是不能超越的荊棘的峻嶺，漫浮着寒慘的月光，無人煙，路徑。

在此渺茫的夜晚，不知名的道途，死寂中四伏着陰毒的殺機，我的心在慌亂着，衝突着，輾轉於命運的屠場。生命之希望已竟破滅，願以憤哀之心火，斬斷了一切的幻影，從此陷入於無底的慘黯之地獄，陷阱。

今！呵～～～從希望之尸體伏於血色的寶劍！

嘆息之夢

去了，春光！在黑黝的深谷中我傾瀉着嘆息之夢，如今前邊正是萬丈蔽天的懸崖，我隱忍的，憤怒的殺死了飛動的幻想。誰說這不是慘害生命的來臨，在此慘霧寒霜無徑的荒野，緩行着，我已敵不住死夜裏無限空虛的襲擊。噫！夢幻，情意，已如落花流水東去，我將此殘骸活葬於荒草的古塚，在塚上我有着難言之哀感。

星黯然，寒風急，我的顫慄之心像一座空漠的古井，曾經滙積過各色美麗的毒豔生命的苦水；如今，我散髮覆面，宛如鐵獄的囚人，跪於蒼黑的影中，作最後的懺悔，流着慘痛的苦淚！冬風中哀泣之落葉，悲惋着業已凋殘的靈魂，尚在冰凍的雪地飄滾，沒有歸宿。我嘆息了，這漫漫的長夜正無語，死寂。

天知道，我心中曾有毒惡之夢，想在風雪之夜深，殺害了剝奪陷害我的生命之敵人；但，我已是命運途中慘敗的英雄，有着殘病創痛的靈魂，正需要五千年長時間之休息，無望了，只在此冷落古城之一角，弛緩着微弱的歌喉在哀吟，歌唱，並在此夜深痛飲，以圖靈魂之麻醉！

神呀，一度我將你虔誠祝禱，如今又被踐踏於足底！你知道，我的榮華，名譽，情愛業已遺棄於荒途，被朋友，路人踐踏，像一個霉菌遍體之殘橘。這生命之醜惡，冷毒的遺跡，粧飾着生命史上慘暗地獄之美麗，氣味。我的天，我還不曾睜眼看這夜的天宇之色彩，我的眼睛瞎了！

我不能想像生命之偉大，奇麗，愛與恨，罪與悔的調和，用我死了的幻想。我向着希望的深谷伸出戰慄的雙手懷抱了，這寒夜星月冷明，萬籟無語，世界只是無限的空虛，空虛！

是以，在空虛的失望裏，我用殘銹的寶劍將幻夢劃破，撫着尸骸作永遠之嘆息……

萬花山之夜

夕紅片片淪於谷澗，將蒼黑遺給了龐大而又渺小的世界。

經了疲憊的崎嶇的旅途，偶然借宿於古廟，在此無人知的黯影之中，我默然慘然的伏於花草之側。

在莫名的驚懊裏，我悵惘着香山萬盞燈火之點點，山頭上黑黝的洞天，一切如一殘病之老人；星光裏，簫音裏，看漫山漫野似是凝結着無數世紀的灰寒的慘痛。

在此林木幽僻的深所，我的好友，一個強健的人，今，臥病於此山腰，以身軀作菌魘蹈之場；

就在病的開端，從青春淪於頹敗的老年後，他幻化了空虛了這世界，曾思對於生命不惜予以慘毒的毀滅——化除了生與死之界限！

這里，野草蔓蔓，頹垣翕然，秋蔭遮蔽了徹明的星天。在這里，他默臥着，他是，曾給生命粧飾過花冠的人，與命運搏戰的壯士；今花冠凋落於無形，反呻吟於命運之掌：天乎，這豈是他希望的苦戰的結局？

有人說——以他的慘毒的口舌，上帝的慈悲——說這是被人間遺忘的處所，荒蕪的墓穴，希望不能存在；

我的天，勿多言，誰看着了生命之顏色是緋紅，深綠，蒼黑？人們畏避的地獄，誰知就是我友的天堂！就在這天堂的——

秋聲裏，雲影裏，一切淪於不測的夢境裏，我默然慘然的伏於花草之側——幻想着暗淡的去路。

有一日，我自己也會寂寞的來宿此地，在此蒼黑靜寂的花蔭裏，我訣別了榮華的世界，以星光作永遠之粧飾。

夕紅片片淪於谷澗，將蒼黑遺給了龐大而又渺小的世界。

（看紫陽歸來）

長劍

長劍的鋒刃刺入了我的靈魂——
醒了，從病者呻吟的聲中：天！這破敗蒼綠的處所，是
我飄泊的故居，地獄的天堂；不是荒寥的海島，不是寂寥的
墓地，亦不是魔鬼的屠場，何為使我在此寂寂秋夜雨聲之中
陣陣戰慄，陣陣慘動！

一切都在幽暗的秘影中，作極度衝突的醞釀，似——

長劍的鋒刃刺入了我的靈魂——
醒了，從病者呻吟的聲中：天！在古老地域的慘亂中，
希望淪於陰溝之毒水，正作最後之寒顫；今，秋風秋雨落花
遍地，何處再有芳蹤，酒一壺，詩一卷，聊表繾綣之生意。
只聽着低吟，低吟的哀嘶之寒蟬！
在秋聲裏，大地上的一切都着了慘害的恐怖之色，似
——
長劍的鋒刃刺入了我的靈魂——
醒了，從病者呻吟的聲中：天！在灰白的世紀裏，往日

飄泊的生命中，我有着煩苦的迷醉；今，在此秋葉颼颼的雨夜，命運的血手正在我面前招展，似是夢境，在閃亂的慘光中，我作了斬首之囚犯！

暴亂，衝突的生命之屠塲，似一古畫展列於面前，似

——

長劍的鋒刃刺入了我的靈魂——

醒了，從病者呻吟的聲中：在混亂的骨血之塲，我已舀入於密密的重網，無處逃脫；人間的榮華，情愛，金錢，向我施勝利的微笑，在淒索寂寞的眼淚裏，我似一尸體慘死於

別宴

——呈廬隱，評梅，冰森，紫瑛——

別宴間，歡笑裏，香杯正濃；即此時，我從金色之夢初醒，不禁悄然灑了怯弱的英雄之淚！

暗霧冥濛着我病痛的心靈，殘燈下苦厄與歡樂似淪於寒漠的古井，一切，我似一泥塑之偶人。忽然，銀杯高舉，在祝我就道於勝利的征途，因而我發出慘然的微笑，無有言語。

讓霜花露水沾遍了我流浪的衣襟，悄悄的逃去罷，從這個地獄，到那個地獄；不堪想，流水年華，將着了何種醜陋悲慘之顏色，任上帝與命魔支配，我爲了一世馴順的囚徒！你知道——

朋友，秋來了，落葉業已遍地，請在今霄痛飲。誰敢想十年後，十年後啊，我們還有這樣歡暢的聚飲！——森與瑛尙未感到生命之疲倦，正做着英雄的薔薇之夢；——隱與梅却已着了慘紅的顏色，宛如秋霜下之精英。在各自生命之道途裏，都在爲自己的靈魂，軀體尋覓永久安息的宮殿——花下，山麓，湖邊。在生命的悲苦的命運裏，我們曾有清嘹嘹的歌唱，有着偉大的沈默，且有着勇敢的戰鬥；何意在今霄，在今霄我這樣的頹敗，夢魂慘戰於狼藉之杯間，一切都在面前無形的消滅！這在修長的苦難的旅程中，終於，還不是一個悲慘的結局？

呼，似醉，不醉，我淪於幽秘的幻境，幻化了各色之宇宙，作一座殘廢的古墟。並且，就在你們躍動的靈魂之前，我將我的生命投於蒼黑的奇臭之泥潭；這，只有我知道，在另一世界裏，我有着不堪言述的沈痛的哀戚，有如海浪之波動。

是了，朋友，我這重創的箭痕，已無望診療，在，在此榮華的世界：從此我遠去了，無人能再見我孤自踟躕，歌唱，痛哭於燕北之寒林。從此我遠去了，要到古老山麓林叢的僻處，看寂寞的雲在山腰馳驟，看山頭殘陽慢慢的消滅；聽夜鶯與杜鵑之淒鳴，聽夜風在墓林呻吟的樂音。在那裏，我想像會有着我的寂寞的地獄，在蒼黯死寂之中，展開我不曾出世的嘆息之壘冢。

今宵，我以將有偉大的孤寂的將來，願將人間歡樂的痛慘的苦酒吞飲。我知道，天不會使我就此永世的醉去，入於另一世界之夢境，不論是天堂，地獄，那裏生命永遠披着薔薇的喜悅之顏色！毒醉在我則是天堂的夢境：在那裏，將生命的悲哀，苦厄，願望，歡快，一切付於不可知的冥蒼；在那裏，一切榮譽，罪戾宛似秋草秋花上之薄霜，都將在命運的掌中慢慢的滅毀。因是，在今宵，我希望將人間歡樂痛慘的苦酒吞飲，獲得一個意外的毒醉！

但是，朋友，在這樣的願望之中，我却將玉杯摔碎，不願在你們的面前豪飲！任時間慢慢將我推送到明朝，倘若有明朝呵，霜花露水自然會沾遍了我的衣襟，有着不測的苦難來臨，奪去此世界的步態，徘徊於另一神秘的宇宙。因之，在此刹那的歡聚裏，不必再作昏迷的沈醉，使往日悲慘的夢影繚繞於腦際，作放浪之痛哭！

將夢影永儲於腦岸之洞穴，奔着我們荊棘的旅程，直到生命破滅的豐碑高聳的墓地；在那裏，無有人間一切的衝突，願望，悲哀。那是薔薇的世界，其平靜有如此無邊的蒼夜……

離途

不堪耐，我含淚離開了北京！

★

在京漢道上，我混於拙笨的駝羣，臭味使我的靈魂離開此不堪容忍的厄遇。一切陷於混沌之中，不知道自己在險難的征途，神魂模糊，只消沈於毒煙之中，並嘆着不經意的長吁。

今天只喝了一些開水，失去了饑餓的感覺，疲倦欲眠，然而不能入夢；此刻，生命只是命魔的蹈舞之場。川野與林景喚不起我對於自然美的意識，眼前，只是一個絕大的囚獄。

★

傍晚至正定，借宿於骯髒的旅店之茅舍，據云這已是幸福的天堂。因為要給生命一些刺激，一些力量，故喝了一個痛醉，徹夜未能入眠；因之，一切如入荊棘的夢境，靜靜的送月光西沉，有着刺心的悲哀。

晨，經過討赤軍與革命軍的陣線，此刻，自己並不感覺生命之可貴與存在。雖然短短的旅程，却給我無限的煩苦，只宛如無罪的囚犯。至石莊適遇正太車，糢糊的登上車，如以前一樣任命運向前移動。

★

鐵道蜿蜒於羣山之中，亘數百里，景極靜，極佳。在此途間有着涸竭的河身，烏雲漫着羣山，烏鴉噪於野林，想到

★

榮華穢罪的都市，爲我已往的幻滅流着淒寂之心淚！

★

又是一個傍晚，車抵太原。在這裏我又是一個不知名的浪人，走進一家輝煌的旅社，安頓了我的旅心。自己在街市閒步，在一家酒店又喝了一個痛醉。我的靈魂，我不願在歸途見那偕行的人！

★

是夜，入眠了，但却爲了不堪思議的惡夢之浮囚；醒來時，孤枕上灑了斑斑淚痕。攬衣起徘徊於樓廊，在皎月之下，廻憶之毒箭紛射於心峯，於是，將哀淚灑向不可捉摸的空虛，直待夜色變爲蒼灰。

★

晨，復乘車反楡次，至過午達太谷。在古林之中，蒼野之邊，我結束了暫時的行旅。至夜深，在隱約的笙韻裏。悲哀促我起來，徜徉於花園間，足踏於落花之殘瓣。魂乎，看秋意秋色在蒼蒼的東山！

★

不堪耐，我含淚悵惘向北京！

— 93 —

夜之波浪

吁……慘黑，慘黑，地獄，天堂……

這似是一個奇異的長夢，我獨自走入無人之境。這里，破敗的宅院變爲荒慘的墳墓。棺木零亂，爲毒蛇棲息之所。這人類絕迹的所在，不意還有一個流轉的生命，雙足刺滿了荆棘，湧流的鮮血似身旁薔薇的殷紅。來路渺茫，去路渺茫，一切止在渺茫中淪沈。

無恐怖，亦無希冀；無追求，亦無有夢；這是美麗的世界，黑暗天使的雙翼遮蔽了一切可怖的影像，生命獲得意外的滿足，歡喜，微笑。提起疲憊的酸痛的雙足，慢慢向前移動，往遙遙碑碣高聳的墓野進行。無風雨，無電閃，亦無號呼的聲息，

夜是靜寂着……

自從光明之神跌死於萬丈的峰嶫，人間消失了光，熱，世界才有死寂的和平。此間雖沒有爭鬥，殺害，慘呼，哀泣，但仍沒我居臥之所，人類說我是一個永遠疲憊中途的旅客

。經過了春，我不曾觀賞，注足；經過了夏，我不曾觀賞，納涼；如今到了秋。還不知楓葉旋落於面前，仍在走着，向冬。我游離着。在無極的無虛，願永遠淪沉於無邊的慘黑，消失了心中的衝突。

幸哉，在黑夜，又消失了我的影，遺忘了飄泊孤零的哀悽。冷冷星子，被慘霧掩遮，霧霧寒霜覆蓋了荒草，世界的一切正遭着厄運。我無靈魂了，已將他付給有光明，有愛情及尋求光明與愛情的人，因而他有了悲哀，因有我，在踽踽獨行，默默進行我的途程，呵～～

夜是靜寂着……

現在，我像死了四五世紀的人，只有宗教的信心，沒有別的靈魂，別的力，神常常吻着我的病足。他給我如此的摯愛，使我無力逃脫，只輾轉於他的掌心；因是，我滿身的瘡痕，永無健全之時，宛如被踏的鮮花。今，我聽着一切自然都在訕笑我，說我沒有生命。似是泥土，化石。我慘然，默然，終於微笑。

忽然，前邊現着熒熒的綠光，在無極的黑暗流動，呵，鬼火，鬼火，死掉的生命之光澤，心想，且走。我起了極端的恨惡，想立刻打死這惡鬼，毀滅了他的光澤；但，與惡鬼相鬬，相好，最後被他傷害，不留遺痕於人間，使人間減少血痕與淚迹；更能完成不堪言說的心願。向前走着，摸索着，思示好意於惡鬼。斯時，

夜是靜寂着……

遙遠，遙遠走過了，只是慘黑的空虛。綠光已消滅於暗影，只遇着一具古棺，於是，我伏於其上，流着空虛，寂寞之淚。由空虛而憤恨。由憤恨而狂呼，由狂呼又歸於空虛：願望欺騙了我，使我受這悲苦的煩擾。去了，從新微笑，將

悲哀之魂復囚於古塔。

茫然，幻然，來到不知名的長流的河邊，痛飲冷水解去了乾渴，臥於荒草之上，靜聽流水之樂音。一切沉睡於荒蕪之夢，宇宙似一萬年長眠之老人，這墓邊的薔薇乃其生命唯一之粧飾。我沉默於修長的廻憶。恐這又是一個傷心的夢境。因而我悲哀，痛哭，雙手痛擊沉默的空蒼，雙足猛踏足下之神祇！

吁……慘黑，慘黑，地獄，天堂……

夜是靜寂着……

十字架

夜半松風裏，十字架下躺着一位氣息奄奄的少婦！

無數獰笑的惡魔，眼睛炯炯的紫光，注視着十字架上釘着的一位青年英雄——血痕模糊，亂髮覆面，掩蔽着他的視線，慘痛，微笑。

斯時，雪霧雰雰於天野，落葉苦吟於寒風，但宇宙是沉默着。

「罪！絞死！你這一對不羈的野獸！」惡魔想着，於是唱起勝利之歌，並且跳舞，互相密吻。

……惡魔散了，當這一雙慘毁的靈魂失去了顫動之後；只殘留着聖潔的尸體，碧血在雪霧中的荒草上還在動蕩。羣羣烏鴉自寒林飛來，徘徊，飛翔，淒鳴於十字架上之雲顛。尸體業已僵凍，無人收歛，埋殯，更無有碑文。時間慢慢不息的過去。

★

雪止了，風息了，世界由蒼黑變的灰色，東方露出微紅的消息。

人類從夢中醒來，在愛人的懷中看見外面慘白的世界，似皎潔的月光；以光明尙早，於是從復入夢，演其長久之溫存，熱吻。

……在蒼夜（只有天知道），這世界結束了兩個冒風雪而求光明的冒險的不安定之靈魂……

彼時，一切尙在深夢，他們的遺囑只換來惡魔的揶笑；因此，人類不知他們曾經生活的痕跡：尸體已被野狠在荒草叢中噬了。

現在，一切如常，人類還在夢中，無有變亂的形跡……
只絞塌殘雪的枯草上，尙漫散着一些亂髮，骨骸，血痕，汚衣……

……人類想，這是被他們殺掉的罪人，於是冷笑……

— 96 —

本書著者之著譯書目：

(一)，晨曦之前　北新書局　實價四角（再板中）

(二)，落花夢　北新書局（即出）

(三)，薔薇上的骷髏　北京古城書局　實價四角

(四)，魔鬼的舞蹈　北新書局　實價三角

(五)，秋途

(六)，詩學新論　北新書局（緩出）

(七)，雪萊的婚姻　開明書店(印刷中)

(八)，雪萊羅曼史　(Ariel) 翻譯

一九二八年三月初版 實價三角

著者 于賡虞

發行者 北新書局

孤靈

于賡虞 著

北新書局（上海）一九三〇年七月初版。原書三十二開。

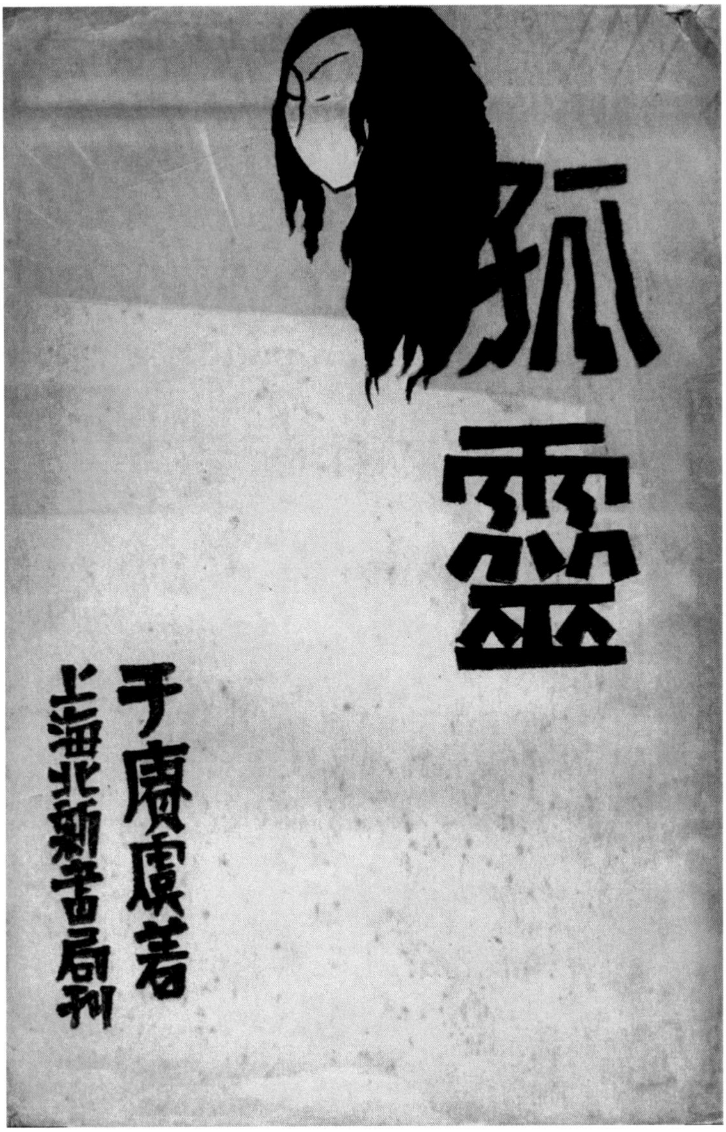
孤靈
于賡虞著
上海北新書局刊

于賡虞著

孤靈

上海北新書局印行

小序

這部散文詩集就是我的厄運之象徵：在厄運中我把它寫成；在厄運中它又在印刷局遭了火災！結果，有兩篇稿子遺失了，這可以說卽我寫那篇東西時的生命的完全之消滅！在第二次收集，改正之後，誌此數語，以作懲邪。

十八年八月念六日於舊京

孤靈目次

孤靈

經過了暗淡長途之摸索，
眼淚變成寶劍，刺破了生之美夢！

在嚴肅的神壇之下，一切淪於寂寞的黑暗之中，我，一個命魔穿心的囚犯，在掙扎的煩倦中，沈于傷心的廻憶。

往日的美麗飄渺之夢，在殘春時節變成了蛇口的毒舌；神經倘不麻木如一木偶，生命將於醉水之中流血，腐潰。

於孤獨中，含淚在黑暗的荊途摸索，有時墜入骷髏的墓穴，有時走入魔鬼的舞場，有時徘徊於天堂的門口。而今，在傷痕遍體的慘敗之後，來聽司命之神的最後之裁判。

這是古老莊嚴的廟堂，無光明，無温情，這里，充滿了災難的消息，幸福者不來。我因欲早知命定的終局，求一個卑微的死滅——在衆人歡歌，狂笑之聲中寂寞的死去，故來虔誠的祈求。

天知道，我同別的人類一樣，曾將熱心，豪夢，勇毅注射於靈魂；但，終於因此得了不指救藥的病症，使肉與靈同時疲麻。沈於孤老之境，如一行尸。

天知道，我失敗後，並不罵無情義之神祇，只如一虔敬的教徒，孤宿於自己的動亂污穢之幕幃，作懺悔的暗泣！我不曾渲染上自己花瓣之顏色。在人間有着豔麗的眩耀，就枯萎了！

天乎，我的冒險之孤壘，終於在苦風秋雨的景色中病了：宮殿將變成荒塚，榮冠將變成枯草，人類將再變成羣猿！在此蒼夜的煩惱裏，大自然的病態的喘息中，我又受了幻夢的慘毒：

於溫柔的情愛之中，密吻，借舞，抱頭痛哭時，忽然，我見了一口血淋淋的利劍，在痛恨沈醉的不知之一瞬，刺入了我的怯弱之心，着了不可遏止的戰慄！

於夜夢的驚恐之中，我手抱着被敵人殺掉之頭，愴惶的逃往蘆葦之叢；在月光中，我自很怯弱之羞恥，將命運委之於敵人之血刃，於是低泣亡命之哭難！

……來人間，復逃出人間，如一空蒼遊行之孤星；

……心中燃燒着悲憫之火，將生之喜悅投棄於江流！

任孤獨靜寂佔據黑暗之世界，從催閃倏忽之光耀裏，我含淚忍苦走着滿汀的路。在生命之國中，我不是為愛情，名譽，榮貴，而是為醜鬼之微笑；是，我將不再為冷識與羞辱掉下悲哀的眼淚——

有一日，我將站立於夕陽岸邊的餘輝，向蒼海長歌，與松風諧和；潛遠天之旮波裏海鳥偕舞，並送白晝深眠於夜色。俟人世消滅於無涯的黑寂裏，於是——

我寫着生命的不解之謎，在宇宙死獄之中；唱起淪落之讚曲，在

— 4 —

荒涼孤塚之上；倒於月光的懷中，作着無跡的苦笑之大步——
讓寂寞的孤靈在月光上作最後之狂舞，
眼淚變成寶劍，刺破了生之美夢！

落花的春天

落花的春天！

一個流落的囚犯，身披落花，慘笑着，垂首在無希望的地獄嘆息，暗泣。

飄落的殘瓣，狼籍於園間，襯出了臉色的愁慘。從惘散的徘徊裏，半瞎的眼睛，看見了雲影中的遠山，那靜穆與莊嚴似是鬍髮斑白的老人，在無邊的大自然裏，迴憶着慘惰的往夢。一切在黑影之中追逐，傷害，仇視，愛慾，將記憶渲染成一片模糊的暗影。

——這眞是一個奇蹟，夢影濡下了酸苦的紫血……

夢醒時，看，墓園各色的花朵，會在靜寂陽光的柔懷裏微笑，其嫵媚的姿態有如風流之少女。那被獵人踏傷的花瓣，褪色了，其殘骸有如遺於道旁的腐屍，雖死尚不能引起半點憐惜！這就是主宰給我們的世界，微笑與苦淚將同作珍重的裝飾。

這正是一個諧和的世界：在無望中，一切在生長，一切被慘害，有英雄與懦夫，春天與秋天，時代的毒蟲蠶食了天才的心，時間的毒水汚了少女的美顏。而且——

夜已驅逐了白晝，只山頭的殘陽，紅霧，

預言着宇宙暗淡的將來之嘆息。

在莫可奈何中，慘笑着，悵望着山頭徘徊的夕陽，綠葉上顫慄的餘輝，欲留此半殘的春色，作生命遺跡之象徵。嗚呼，青春，如一夕陽晚，殺場上，荒草叢中被傷的英雄，終于懷着不滅的幽恨長眠了！

神呀，今，我尚未到頹敗的老年。以枯瘦的手指，在古琴的弦上彈出蒼黑生命的顏色的顫動，伴瓣瓣殘花在微風之中舞蹈。正如這春天，我也曾有過如此美麗的時節，但却靜眠於暗霧之下；委之於無望的空虛：似秋霜下的花朵，殘了！

往日，似美女懷中的骷髏，雖有甘露溫情，再也不能復醒。

去矣，我的偉大的美夢！今——

我將隨夜之步態，與黑暗追逐，在古林的月光下，寂聽孤雁惜春之悲鳴。經過了幽遠蔓草的長途，疲憊了，然而怕幻夢之襲擊，不敢入眠；任苦難的鐵鍊作我美麗的項鍊，在人間，我爲奇特的怪人。

但無人知我掉下寂寞的羞恥之老淚，

只林間月光下的草兒陪我淒泣。

天知道，我作了一世流蕩的旅人，披星戴月，孤棲巽山，只露珠與霧水潤澤了我乾渴的口唇。願永遠在黑暗作一寂寞的旅人罷，我怕見晨曦，因在白晝我似一半瞎的夜梟，會見着冰冷，僞善的怪類。

——懦夫！但我只報之以含淚的微笑：低首無言——

並且，讓永遠，永遠這是一個不解之謎，聖者不如酒徒，君子不如狂人：在落花時，暢飲而醉，仰天長歌。
在生命之國中，我將不爲幸福，榮譽而祈禱，
——讓這落花的春天爲少年男女安排了命運；
到世紀之末，在我死後開一個慶祝的盛宴，
——使生命表現着最高韻調的舞蹈……………

—10—

斷弦

噫，弦斷了，將不能再彈我的舊夢！

我失却了憶想，怨怒，隻身走到無邊遥的田野。

雲幔泯濛着山境，在慢慢移動，持着靜默的尊嚴。

白楊的幽音吹不醒草下之白骨，哀淚簌索的流下！

從我半瞎的眼中，一切變了顏色，情調，意義：夜爲晝，晝爲夜；日光寒，月光熱；情人爲敵，敵人爲友…………………

在此頹殘的人類中，無善惡，恩愛，眞理，虛僞，各人在生命上塗着醜陋的裝飾，希望在死後變成人間永遠的榮譽。

我的足跡蹈入於不堪救藥之黑穴，已往變作殘醜的腐骨，現在正無目的的盲動：眼淚流了，凋落於病殘的孤影！

不復將春抱入懷中，恐花之色香變作腥血！
不復隨百靈諧唱，恐其妙韻變爲日暮之葬鐘！
似一石像，彷徨，彷徨，正彷徨於春的墓墟！

世界是無邊涯的偉大，但於我似是一不能轉身之囚獄，無處去，任何處即我倦臥的尸床。幸福亦不在死滅之中翺翔。

咄！無須再向人間回首，在十字街頭我遺棄了人們追逐的，珍愛的一切。我將爬上穆靜的山峯，在那里作一世無語的啞人。

我將不復爲一切所感動：山風，魂泣，泉鳴，落葉，那是人類的和諧之美調。於煩苦的疲憊中，我將得千載之安眠。

只日月無語的從我的尸身之上旋轉，

只烏鴉及野鷲在我頭上戀戀的翺翔，

噫，弦斷了，將不能再彈我的舊夢！

微笑之屍

這是一個無人烟的孤島！

百花叢中，林鳥之歌詒裏，躺着一個微笑之屍骸，他聾了，聽不着海水與林鳥的音樂；他瞎了，看不見周郊與天空之奇景。寂寞中，一切乃無意義之裝飾。

天哪，他這於後之微笑裏，含有什麼偉大的祕密？似是一個無歸宿的浪人，經過了黑暗，寂寞，疲倦之旅途，在此不知名的幽谷，死

—14—

於疾病與命運的掌心；無呻吟，無呼救，無哀怨，無祈禱的完結了生命之劇。他的微笑似象徵心頭最後幽秘的喜悅，但啞了，不能向世人表白，一切，落於不可知的夢境。

這閃耀的月光，古林與海水之幽音，

未知對這無語的屍身有何種意義！

我們不能從這微笑裏測知另一世界之美麗，誰敢說不是如我們的世界一樣，是無知，無光與彷徨的夢幻之境呢？

神靈死了，不能告訴我們其中的奇蹟：生命從破滅而來，復向破滅而去，這是一個不解之謎；在不知中，我們流着期望與嗟嘆之眼淚。

這不再是一個大步、肉體縱使野獸啄食
骨骸爲其泣鳴之所，人類亦不爲之哀悽！

在大自然的沈默中，花開花落，海鳴鳥歌，夜與晝亦不息的追逐。人類，乃一盲聾，在無知的摸索中，哭着，歌着，愛着，戰着逝了。

如今，這微笑之屍骸，啞了，瞎了。但他的聾與啞乃命運特賜之恩惠，將從此不再聽不再唱人世之悲歌！在靜默中，幽暗中，偉大的生命開始了——

這正是一個無人烟的孤島！

悲劇

這是一個不可捉摸的惡夢，在參與友人婚禮之宴上，我死了，以玫瑰的刺如利刃般刺入我的雙睛，喉頭，從此作瞎與啞之鬼。

我不能言述天堂的一切！那一雙新夫婦背後的慘影，將永遠作其長途之追隨，無寧息之日：那深夜的密語，乃是災禍的證據，分離的悲哀，老年的頹敗，就以它當作預言；還有，當他們互相疑忌，淡漠，憎惡，仇視，以至散髮橫披，躺於血泊之中，始乃得救。至此，慈悲的上帝，將微笑的伸出雙手，抱死屍於懷中，並賜一長吻。

這是人類永無止息的戰鬥與祈求的悲劇。

在這悲劇的起始，我死去，於是心頭的夢影，古老的憂傷，亦無痕的消滅。吁，顫動的肉體又給我證明這是一個幻夢！

月光透進幃幔，似慘白的死面，作微微的波動。我由恐怖而暗泣，由暗泣而慘叫，這正是墓林幽森，孤孤淪落的中夜。

從此，再也不能睡去，因而，我懷着渺茫的希望與恐怖，在墓林開始無目的之尋求。

還記得，這妙齡女神的孤墓，上邊生着一棵美麗的薔薇，粉紫與淡白的草花，在皎月的光下，有着幽靜的嫵媚。我於是跪下，作虔誠的祈禱，如一個善者的教徒，眼淚淒索的灑下，在此無人跡，鳥語的夜間。我將死在心頭的密語，老在唇邊的密吻。跪於薔薇，吻於薔薇，最後伏於祭壇的石上，慘淚在蓬髮的影下不息的下墜！

因是，我又深沈於荒謬之夢：我的肉體墜入於無底之地獄，在黑苦的汚水與血流中作最後之顫動；我的靈魂飄於高入雲霄的楓樹之葉，隨夜風中的葉兒作慘苦之呻吟！似有絕大的仇恨，不能相容，一在天空，一在地獄。這正是生命的和諧之韻調：希望殘了，未留痕影；肉體死了，骨骸為野鶩棲息之所。

恍忽間，我又似臥於聖母的懷中，有着慈祥的光照於面頰，身軀；但片刻我又化為一點紫血，混合於青草下的糞土。讓這是我有生以來之悔恨，汚迹，將夢影跌死於絕望的懸崖，付於江流，沉入海底。一

切，乃女人所給我的恩惠，然而這也是我的祈求

因身畔飄動的蔓草將與我的老年而俱長，並且在秋來時，又將同時慢慢的枯萎，我於是披髮立起，長吟。

聲音漫散於夜林，不久復歸於死屍一般的沈靜。

悵惘於這不堪回憶的惡夢，暗泣於此銀光淒索的夜色。吁，冷冷，寂寂，一片蒼灰，死氣！但，命運的長蛇仍然追隨着我，直到不可知的處所，俟將希望滅毀，因而牠爲我的幸福微笑。

在寒顫的幽光中，
我寂寞的含淚長跪，終於昏絕
在女神的墓旁，野草叢中…………

毒草

似是天馬，自吃了人間的毒草後，遂成瘋狂，有了不羈之力。

我出入於廟堂，賭場，聖者，偽善者，酒肆，污地之中。因我散髮之橫披，面色之蒼苦，于是身受鞭打之重傷。

在毒烈的陽光裏，飛奔，汗流，仰天長嘯，直至山巔，於是躍入幽谷，穿過平原，曠野。

人類以惡劣的眼光看我，似憐憫，似胆怯，但終逃不了我的血刃！

我以上蒼好生之心憤將殺絕了人類！

俟海洋變成了血流，骷髏堆積入雲霄，絕了人類的足跡，音響，然後，我再以基督慈悲的光，照耀於我生存的世界。

嗚呼，手上的腥血，這樣，就能解我心頭恨惡的情意？不！倘上帝是人類的製造者，猶不悔改，我將踏斃他於足下！

因此，世界上，將不會有暗慘的悲影追隨我，糊模的哀痕佔據我，在我腦後慘叫，夢中驚擾，並且使我年老，疲憊，死亡。

但，終於我將嗚咽於血刃。

以幽顫的月光覆面，仰臥於草茵之上。

我的怯弱愛人的雙睛，滿眶慘情之淚，滴落於我的臉上，似五月的梅雨，流入火山般的心中，但終因此中寒。

我的怯弱愛人的口唇，以其聖潔之吻，深吻於我的口唇，似香濃的美酒，流入火山般的心中，但終因此受毒。

從一切記憶的影中，她被我害死，但她只是社會的奴隸！

讓這是最後的慘忍，復使我因毒草而覺醒，在壘屍之中找出我的愛人，吻她以顫慄的口唇，流着寂寞的淚；然後死於殺了她的血刃，微笑的靜靜臥於血泊之中！

讓這就是人類自高的尊榮………

何處

在平庸的寂靜之中，幻想之波瀾慢慢的充滿了這灰色的屋宇。

忽然，周身覺着起了怪異的緊張，如有鬼魔窒塞住了喉管，不能言語。夕陽殘了，夜色已普照了天宇。

誰敢說，我這荒僻的寓所，在未有這簡陋的建築之前，不是往日的青年與老人葬骨之地！在不久以前，我就在墓地住了悠久的時間。

現在，（天知道，我懷着毒辣的思想！）平庸的往日之屍骸，正擺在案首，如奇特之詩人，將從野墓中竊來的骷髏之頭顱，作為戀人。從其中，我看見了怯弱者各色的傷痕，污跡。

我不從那逝去的屍身，作無味的妄想，這屋宇卽是一個鬼的世界，它使我想到了生之美麗，熱望，但，上邊却覆着一層黯淡的幕紗。

我燃着了紙烟，對着那將及息滅的爐火沉思。

時間是刻刻不停的飛逝了，隨着烟雲及殘燼。

這屋內陷於不能破滅的死靜，我自己，我想，似一架無有生命的骷髏。漫浮著一片灰色之雲霧，在其上紅與黑之慘色，卽是我那尚未消滅的毒辣的思想。雖有寶劍，我却捉不住那環繞身邊，不肯離去的鬼影。

那不是命運，他已被我殺死，想着這恐怖卽我追逐的希望。它將救我出此陰森的黯獄，到那美的永遠甯靜的黑穴。

因了這一團不能解救的哀思，使我沈於無邊之慘夢，我推開窗戶，使皎潔的月光，從枯枝之間透進室中；

天啊，我又得了一個新的大發現，原來這是一個空虛的世界！

我慘笑了，但却沒有發音，室內依然是森嚴，靜寂…………

最後，我想，今夜不會是暴風雨之夜，天地的末日，我徘徊着，徘徊着等待那一輪燭天的紅日，我將逃出這可怕的囚獄…………

—26—

詩人誕生之夜

今夜，任幻滅的尸骸靜臥於這戰慄之筆下，
像我以前所描寫的少女之美夢永遠破滅於路隅！
今夜，讓我的飄泊的苦運作一個最後的完結，
像我所詛罵的神祇與惡魔一樣不再顯現於未來！

我有這樣的決心，因為我蒼黃的面顏覆了毒酒之紅色，蓬亂的散髮遮住了我朦朧的雙睛：是以，天地變了顏色。

有誰知，（這眞是一個奇蹟，）我爲人間的乞丐，在人類互相衝突的惡戰中，我祈求着一個無希望的甯靜；在人類動亂的帳幕中，（比如在蒼黑之死夜，我竚立於街頭看賞星輝之波動的時候），血液染紅了我的雙足，因而我寂寞的魂又受了絕望的射擊，以至痛哭！

我知道，天也知道，我是從鄉間來都市的一個愚人，失去玩弄古廟的偶像之自由，縱在山麓，湖邊痛哭，自殺，還不是如同故鄉牧童對於青草的虐殺！蒼天不會爲我飲泣，松柏亦不會變色！

就在這淡漠的世界中，（又是一個奇蹟，）我結交了許多恩愛的友誼，誰知，我的生命雖因此得了保障，却又因此幾乎淪於慘滅！

是呵，天邊的星宿雖則終年對我無詥，無恩無愛，

—28—

但，她們是爲保持着永遠不能破滅的莊嚴與明潔。

因此，無論在月明之夜，或風雪的朝晨，我曾墜於沉思，只以烟酒作伴，想着這生命之光輝，倘不如腐尸上的蛆虫爲有意義。

今夜，我想以貓頭鷹之凶惡與怪調，驚醒我昔日麻醉的靈魂，使他的骨骸永遠遺於十字街頭，被萬人踐蹈；或永棄於深山幽谷，無人過問：如此，那青空的流雲，四季的香花，可與我作一密友。

這不是一個妄想，人間終有着璀璨的天堂～～～這天堂，即如是在我自己的地獄，或者在我可憐的筆下，那，我也不會流下寂滅的微笑之淚，我也不會在幽靜的海邊仰天長歌。誰敢說我只配作怪類之奴隸，永遠俯首於泥胎或木偶之前，虔誠祈禱！

這算是一個不死的雄心，就像那永遠不見天日的陰影中的蒼松，
雖然它的歌調與生存不被世人所知與崇拜，但那正有其奇特之意義。
就這樣，如同昔日在命運之掌心，受了鞭打，受了烤刑，還能夠
有今宵，我準備着接受以後更深的苦難之來臨～～～

任金鋼石上的光耀消磨於風雨的浸噬，長遍了蒼苔；
任無情父母在饑饉之年挖掘自己兒子之心作爲食料；
在萬人歡歌的舞台我唱起這澂與的不體面之歌；
隨着東去江水之悠淵我將老年付之未知的空虛！
唯有，唯有今宵這刺骨的寒夜才是我狂笑的時辰……

思想

思想猶如美人骷髏上的荒草，從花朵及枝葉裏，我嗅到了人間純美與毒惡之怪味：如是，我尙彷徨於人寰，作着不醒的苦夢。

在白晝，我曾以秋日之陽光，曬着將及凝凍的血液，躺於寺院殘草的墓邊，使哀思幻化於密織如雲的松林。

我不敢仰視天空之飛鳥，它如繁華街市的怪類，
會將我的美麗之花的幻想，踐滅於萬人歡宴的舞廳；
我不能靜聽秋虫之寂鳴，它如怨女撫抱的琵琶，

會將我往日苦夢之遺骸震醒，似歌女歌舞於眼前。

如是，我經過了春秋，只徘徊於此怯弱的塚頭：戰慄的葬鐘使我垂首微笑，那穿孝衣送葬的人乃聖潔的天使。

生之起始與終結，不在那如刺的搖籃，安樂的棺木，這些，不過是一條刑鍊的廢棄，使其生了腥臭的污氣，散漫於人間。

這不是我的惡毒之思想，我的慈悲勝過渺小的基督，

那深眠囚獄的生命，將不如罪惡之塚的犯人，

豈如這筆下的命運之戰鬥者，正等着死滅的來臨。

嗚呼，思想，有一日在深宵的星宿下，我將含淚的將你葬埋，使你的靈魂寄託於那不死的蒼松。並且，將在同樣的風清月明之夜，我

會孤自一人爲你招魂，祈禱，雖則我曾以生命作賭，不再向你的遺骸

問題。

你知道，天也知道，這是魔鬼的世紀，人類（唶！），人類的最

摯愛的父母以其子女之血肉爲佳美的酒餚，善惡，眞僞，美醜似是古

廟牆根之蒼苔，不過是無用的粧飾。

因了你那似美女的向我頷首之微笑，我遂中毒，靈魂之斑點有如

屍體皺青之紫痕，人間再無醫藥診療。

從此，我失去了一切創痛與喜悅的感覺，

立在你的荒涼的墓上，似是幽林寒夜的夜鴉，

我將開始我新奇的歌調，傳佈着另一世界之福音！

惡魂

我以全力毀壞了希望：在逃亡，沉醉之後，我得了自由。

宇宙乃一灰黯的深穴，四周乃堅硬的冰殼，無有光熱。

祖先，不過是死了的蠢猴；文化，不過是一堆劣跡與謊言。

因我這次向生命之國的冒險，鬥爭，狂笑，歌哭，終於我懺悔了，那是一个絕大的錯誤，不能毀滅的遺恨！

人類與人類，烏鴉與烏鴉，瘋犬與瘋犬結成了不結的友誼，但在筵席之上互作了酒肉，被盜賣，謀害，吞噬！

這里正有絕美的繪畫，在海邊的山麓下，一個美的處女被醉漢刺殺了，天上有着旋舞的野鳥，地上開遍了玫瑰，夕照染遍了楓林。

一切沉睡於靜穆，思想枯於頑石，言語付於寒山：只賸恐怖與莊嚴！

我就在這地方有着無名的期待，黑暗慢慢的將宇宙捲入其懷中。

我忘記了那慘死的傷痕，在人間的街市上永遠有被惡犬蹂躪的屍身，孀婦失掉清貞的啜泣，我的腦海充滿了這樣的記憶，良心失去了悲惘的感覺

我不能再使慘淚流落，如妓女的感傷之淚流落於不相識者之面

前！

如今，我戲弄着天上的星羣，調笑着那孤芳自賞的嫦娥，我想她不比人間的處女還要堅貞，清白，終於會如同她們一樣對我傾笑。

還有一個希望，就是我要將一切山海，巨林，野獸都聽我的命令，在生前我雖淪於奴隸之命運，但今日我要作萬物的主宰！

我將給人間一種新的陽光，新的希望，新的生命，使他們自己感到我的偉大，我的慈悲，我的善意，因而都來吻着我的足趾。

因了我對於神祇之痛惡，有一天，他們會拆盡了一切偶像的廟堂，痛罵那沒思想的祖先！

因了我痛惡那人類已往之卑污，他們並將一切說謊的書籍（尤其是歷史—燒毀，從新記錄他們的靈魂。

我已覺受了一世紀大的痛苦，知道了人類的心靈有着打不破的暗雲。

我想將這祕密用詩文去感動他們，但他們還像深眠的小羊未醒。

就在這死了處女之山麓邊，我再期待一個世紀，在無語之中。

現在，已無怪類再忌妬我，謀害我，這完全是一個自由之世界，

從東山到西山，從南海到北海，無論天堂與地獄都爲我閃開了鐵門。

比往日，我現在有了知識，有了權力，無論生死之世界的秘密，

都在我的眼前，因而我覺得這個人類的世界是過於渺小。

從此，我才知道那往日誇大的庸儒的人類，乃宇宙間最蠢愚的生

物，倘若他們看見了自己悲慘的影子，他們會在陰獄抱頭痛哭，懺悔！

他們——人類，我的沒出息的後代，一旦從深夢覺醒，就如同我昔日一樣會感到慘痛的不安，都會找到他們的自殺之路，這本是我的希望。

待他們醒來時，我即將賜給他們恩惠，不使他們絕望。

雖然這是空虛黑暗的深穴，四周乃堅硬的冰殼，無有光熱，但，我正在期待着，有一日這世界會變成美的天使歌舞之殿堂：

讓花朵開遍了市衢，讓花朵開遍了居所，讓花朵開遍了墓地………

歸來

經過了箭射皮鞭之痛打，我歸來了，那是一個不知名的國度，似是作了一個大夢。

那裏有古林，墓地，野花以及人熊混亂的怪類。一切在不知的暗影中潛伏：有時他們把我奉為神靈，有時把我當作魔鬼，在苦笑與容忍之中，我度過了那地獄。

——那地獄，是在一個山麓，在一個古城之外，荒塚之間。

每當月明之夜，我徘徊於林間，踟躕於塚上；枯葉自頭頂紊亂的落下，睡鴉偶爾在夢中呻吟，心頭感到了淒涼的空虛。從寒顫的冷光，我寂寞無奈的向遠山瞭望，又低首看秋風中半殘的寒菊：天知道，我無所追求無所期待的重復着這無意義的工作。

倘若，今宵是無光的寒夜，這無邊的慘黑，老古的林風，會使我感到意外的恐怖：加以足踏落葉之聲，崎嶇的塚路，更使我想起鬼的渺茫的怪影：一切

在黑暗的空虛中生長，
又在黑暗的空虛中恐怖
因之，這風塵中的孤弱之靈將不如墓頭之秋草！
就在這情形中，有時我如死屍一般靜默，有時我如狂人似的慘

—40—

叫！讓枯葉當作我的生命，讓北風代我號泣，於是，我低頭向無語之大地，仰首向無極的蒼虛微笑。

曾幾次，在萬籟死寂之寒夜，因迴憶人世之侮辱與悲愴，黯慘與空虛，我想以毒藥使生命得其永遠之安眠。但因了往日曾有過悲壯的盛宴，給生命以薔薇似的微笑，因而我把世間所有之榮華與享樂，置於幻想之中，並且塗飾着奇異美麗的顏色。

——那顏色，把我從死獄喚醒，從這一個夢又到那一個夢。

終於，以我所有之力，衝破了那苦難的獄門：我自由了，雖然這創傷的蒼宇裏，仍無寶宮寄托此流蕩的孤魂。在無邊的幽深的寂寞裏，我又起始了無名之徬徨——但經過了箭射及皮鞭之痛打，我歸來了，那是一個不知名的國度，似是作了一個大夢。

—42—

我的世紀之始

天地變色，萬物戰慄！

不是夢，不是謊，人類以人類之骷髏作珍貴的裝飾，血為美酒，山為焚燬，無的城市，村野滿充了勝利者之歌聲！

少女被傷害了，血流四散　橫被，屍體狼藉於路隅，任惡犬與野獸啄食。宇宙充滿了這樣幸福，微笑，溫情。

……人類正唱着勝利之歌。

這不是陰霾，冷雫的殘冬，正是百花怒放，鶯雀諧鳴的春天，但這來天給我不可思議的煩惱，因之——

腦筋完全失去了知覺，不能辨色，香，音的美惡。母親以慈愛之心撫摸我，慰吻我，但我覺着只似　髏在額前轉動，其慘痛有如利刃。她的悲憫的老淚，似是毒藥的惡流，正要酸化我的心，使生命慢慢的枯萎，有如道旁的草花。

……呵，主宰，我又流着懦夫的淚，向冥蒼沉默。

主宰復以毒劍刺入我煩燥不安定之心，流了紫黑的血。冥冥間，又像是死了的良家少女的幽魂，在幽夜賜我以長吻於薔薇的花蔭。我暗泣着這一切意外的同情，縱受鞭打與烤刑，也不再作愚昧的祈禱，讓我在寂默中尋求溫柔，平靜，空虛。

想，誰說天下沒有虛待子孫的神與父母：旣賜予 生命，復使生命在中途萎滅於其掌心，這正是個奇異的世紀，一切正走向寂滅的道途：

白骨已遺散廟堂，歷史亦焚毀於其間。

如今，天上沒有星月，地上沒有花草，空中沒有飛鳥。飛箭在不意之中會射瞎眼睛，水中的怪類在不意之中會上陸吞噬人類——生命還不如綠葉，會到秋風去歌唱。

天知道，我曾有夢，與別人一樣，但終於途於古堡之斜陽。我亦有生命，但還不如馬蹄下冤鬼，在秋雨之夜尚能作一兩聲驚人之嘶嗎。

如是，倘主宰肯賜我以絕大的幸福，我願在一個奇異的夢中不再醒來，無論在春天或冬季，都有美的香的花兒作伴。這，可使我脫去永劫的奴隸的牢獄，並失去了權利，名譽，憎恶與恩愛的界限。

因此，我戰慄的手永不會再提起寶劍！

不是夢，不是謊，我懷中只有一付醜陋，腐臭的骷髏：靈魂死滅於黑暗了。

我慘笑，口中吐着無意義的言語，像是人類慘滅的預言；復抱着殘墟中的偶像痛哭，悔恨生命之污迹，因而歸於低首沉默。

這正是一個奇異的春天，

在荒途清黝的草茵上，我枕骨而眠，放着疲倦，恐怖紊微的夢：

……

影

皎月高懸，羣星寂然，只我一人穿過了黑暗，
背後的荒林業已不再寂寞，發出宏深的惋嘆，
爲了那是一個危境，我的傷足已不止的寒戰！

向前，那是不能超越的峻山，左右乃不能飛渡的洪流，因了過重
傷害，我的雙眼流出紫血，兩耳充滿了慘喚，天，這是地獄，樂園？
飛閃，飛閃，在面前是骷髏的高山，還有血的洪流在兩邊………

—48—

咄！那血流與骷髏山，怎麼有着我的可憐的青春：他負着可怕的骷髏，是踏着血流的巨川，足欲前，口欲言，天，天，這不是夢幻！

他就是我的靈魂，他經過荆刺了人間，他受過了透骨的苦寒。

他也曾歌頌薔薇，向少女求歡，但終於受了電毒而離開人間！

這不是人類的世界，這里沒有金瓦的宮殿，沒有可爭鬥的王冠，神胎，蛆虫，草花，陽光，均已壓於山底，沉於血淵。

呵，這世界的巨魔卽那勝利者，他主宰着這血的洪流，無邊的骷髏山！不幸，我無意中來這國度，那主宰者賜給我一條無頭的刑鍊，不久，我也將以自由毀滅了生命，永遠，永遠與血流及骷髏爲伴！

咄！我尚未到老年，青春之夢早已飛遠，花乎，花乎，那最迷人心魂的花朵，那最招人念戀的金鐘，都已隨我的飄泊而被毀，被殘！
皎月高懸，羣星寂然，是我在苦囚之獄中爭戰，
骷髏的眼睛深陷，血流無諳的飛濺，我不悔嘆，
爲了這是一個絕境，我將淚漬滴落於身邊的寶劍！

—50—

春屍

從山煙，湖光，瓊草上又露出了復活的春天！

因之，我沉於冥漠的幻想，美麗的往夢之骸，繚繞於空寂的腦際，如一終身貞節的孀婦。在神與魔鬼之前，我投了罪惡汚穢的供狀，任慈與刑將我裁制，使我受到不堪言述的苦痛。我只好仰天長笑，流着哀憶之淚！

逝了：春光，只餘醜陋的殘骸！

想，以衰老頹敗的光陰，放浪於城市，林野，荒山，碧海，作一惜春之狂人；嗟呼，我的疲憊的身體，準備受皮鞭之痛打，將鮮血粧飾於業已蒼白的長髮，如一朵美的薔薇，掩蓋着古老的遺恨。

復以煙與酒使我沉醉，將心染成黑色，不再醒來，作一僞善的君子。不相干的人類與神與魔不能救我，救我者亦不是父母，朋友，而是潰爛道旁的腐屍，它給我一個神秘的啓示，如黑夜難遂之光。

我知道，天啊，它無求於我，亦無愛，無恨，無微笑，無怒容，只有一個腐臭的屍身，表示它罪惡的滅絕。從此，我將對自己的飄泊，苦難，發出慘然的微笑；縱是美人，亦當如斯的結束生命。

逝了：春光，只餘醜陋的殘骸！

說，無謂再嗟嘆，躊躇，跳入無底的深海，跳進萬丈的火燄，以寶劍刺殺頹敗的老年，於是暗泣。似一不解之夢，將慘紅之顏色塗於殘餘的時光，以疲啞之音樂，踉蹌的步態，裝飾着未知的去路。

從山烟，湖光，殘草上又露出了復活的春光！

雪夜

夜霧瀰漫着已竟死了的古城，其幽靜似莊嚴的停屍之宮，街燈似是那唯一取光的殘燭，倘在屍前淒明。

我靜穆的立於街心，似一古老之石像，無有言語。

這是一個黯淡的世界，雖則汽笛遠遠的鳴着，巡夜的人在來往徘徊，乞丐在沿街慘叫——但這一切如荒林間之孤墓一般的淒冷！

在這里，我看見許多悲慘的不幸的黑影，那無語的煩亂之屍骸都束着一條鐵銹的刑鍊，徬徨於骷髏之塚——繁華的街心：

—54—

我們然來到了這奇異慘變的世界，
立於昔夢之與我一人歌笑於懸崖！
緩慢的，濃霧淹埋了孤冷的影，消失了黯啼的街燈，這宇宙真的
陷落於萬丈的黑穴，死滅將統治了一切。
我靜穆的立於街心，似一古老之石像。無有言語。
一個怪步！眼前飄落的雪花，似無數的美的幽靈，在街市飛舞歌
吟，粉飾着疲憊人類的世界：從此，我的孤塚即將沉沒！
這將是不能反抗的命令，這將是永久安息的預言：我心似冷灰
身似枯幹，那一點飛閃之夢幻亦着了病色——
雖則我自己建築並毀滅了我的步，

但倘留在來日的墓頭以詩草作粧飾。

雲霧將我從人間消失於無蹤，一切林木，母園，劇場，都變爲雪塚，宇宙已從黑獄救出，變成了銀白之世界。

我靜穆的立於街心，似一古老之石像，無有言語。猶劍似的思想已從我的靈魂逃亡，毛頭鷲及教堂均消滅於我的身邊，這天下宛似靜獸之屍臥於荒草之下，永遠不醒。

這就是我忍受苦難與侮辱所追求的美麗，那未來世紀之光耀亦從今晚奠定了根基，這不幸的雛亦將永遠的投棄。

我微笑了在此萬念俱寂的景色，

任天使隨雪飛舞於此世界…………

伴某君遊公主墓

於銀霧濛濛中，我們從喧嘩的古都來此死滅的地域，
將慘情傾於紅酒之中，想因此拯救痾疲的靈魂。
我們於昏醉之後，頭枕墓石而眠，其寂靜似無風之松林，
這片刻，我們做了許多怪夢，將榮華視如藝臭之糞土！
你那仰天的慘笑，驚動了這地的楓葉，冷霧中的古林，
因憶及在泰山看日出時龐大的血紅之潮水，流了渺小的淚……

經過了嚴肅的沈靜，那時候，只寒鴉在枯枝寂鳴，孤雁自林梢淌

去，宇宙落於空虛的墓穴……

忽然，我的眼淚流落於殘磚的苦痕，這不是爲着飄泊的僞慘的命運，因爲那是我們日常的飲宴，（雄心卽因是不死）——

天知道，此刻，我看見一切追求的綺夢在面前的楓葉之上逝了；不知什麼又使你唱起刺心的慘歌，驚覺了那夢之殘骸！

我說，把僞痕掛於林梢，使之凍斃於寒霜，這殘塚下的一顆腐了的芳心，並不能救我們出於瘋狂！它尙不如那河灣裏被野犬蹂躪的屍體，被囚於寺院的無生命的雕像爲有意識。

天知道，我已不如四年前今日之心情，會將此死了的少女之靑春，慘入我的神秘的歌喉，而今，我只看見了醜惡的骷髏！

那殘留的碑碣與建築，如同古羅馬人之遺跡，再不會使我感傷，
此乃皇帝（蠢物）子孫的雄心，還不如那道旁毒惡之殘花。
天呵，你想揭發她的墓，看她靑春的音容，這不過是怪誕的夢，
在街頭那行走的　髏春色還不是如同她今日的殘骸一樣！

宇宙是靜默着，在其間美變成惡，花變爲草，神曲變爲瓦釜，生
命變爲　髏，只我們的眼睛尙能在黯穴看見別人不瞭解的光明。
在這里，我們將許多夢塗於殘塚上之斜陽，將傷心訴於那終年無
語的蒼松；不久，就會被風雪之虐啦，漸漸的消滅……
現在，這正是薄暮時候，林梢的夕紅似一篇慘情的好詩，
俟詩人來臨的時候，將我們這悲哀織入他的寂寞的詛詬。

我們應該走了，將走向山巔，海邊，都市，命運乃我們的主宰，
縱然到荒無人影的天下，總有着疏落的星宿作伴：
還追求什麽，好夢業已付於那無語的莊嚴的松林；
在歸途，你注視那陷落的墓穴～～那沉默之祕密，已奪死了
有爲的哲人及詩豪。
還正是夕陽陷落的時辰，我們將世界付於舟子，在船上作起
甯靜的大夢。
待蘆花飛遍了衣襟，船泊岸邊之時，黑夜已籠罩了週身……

送英雄赴戰場

在日月的光輝下，我捧着濃烈的美酒，送到你的唇邊，英雄，英雄啊，請你把牠吞下，如同從你愛人的玫唇飲取的甘露！

我這創傷的寒顫的手，雖然宛似冬日的枯枝，但如今都有了春的消息，它將從你的凱旋裏會慢慢的生長，有力，拿起寶劍。

往日，我將希望植於墓地；如今，我把它移歸人間。

在亘烈的痛創以後，我有了淚；有了愛，因爲：我看見了罪惡的血流，而我就以他們的血來洗滌我的病足；我看見了骷髏之山，而我就欣然的把他們燃起取煖！

我並不是懷着慘痛的惡魔之心來到人間，我有着廣漠淵深如海洋一般的愛，就在這愛之光輝裏，我被人遺棄，踐踏，容忍，但我終於從劍之光輝裏，揭破了往日奴隸的命運！

英雄呵，在夕陽殞墜，殘月高升之時，你擎着火把穿行於饑饉的曠野，那里是人吃人的地代；穿過黑暗的林叢，那里是虎狼惡獸的世界；穿過古老的廢墟，那里是無知者拜禱的聖地！

我就以我這哀淚（如同你愛人惜別時的香液），奉獻在你的面前。

在苦寒的戰壕裏，或農民的茅屋裏，或陰濕的酒館裏，請以你幻想的雙睛，窺測這血泊中的字跡，然後再仰天慘笑，重赴戰場。

爲了這受難的人類，爲了你所愛的幸福，請驅策那疲倦的駿馬，
踏碎那毒暴者之骨骸，以他的血漬染了你的寶劍！

那時候，我仍然捧着濃烈的美酒，送到你的唇邊，英雄，英雄
呵，請你把牠吞下，如同從愛人的玫唇飲取的甘露！

從天堂寄到地獄

咄！人間！咄！地獄！一片憧憬中有無數骷髏在蠕動！
言語乃腐敗靈魂的表徵，思想尙不知虛偽爲有色彩！
巨林，海洋，山丘在地球爲唯一有生命及莊嚴的偉人！
一切善，一切惡，一切喜，一切悲乃虛偽無用的符號！

我以曾經生活於人間的經驗，來懺悔那生命爲罪惡的根源，因生命永不會發出那流星般的光輝，照於陰暗潮濕的地獄之靈魂！

自猿猴至人類的一條遙遠的旅途，永遠帶着慘酷的刑罰，眼睛永永遠在朦朧的狀態，咄！聰明的英雄就如此的含淚而逝了！

我以超人間的眼與力窺探人類的靈魂，從至大到至微，宛如一個冰天雪地中餓斃的老馬，那死灰的顏色有着陰溝污泥的氣味！

這完全是一個死寂的世界，那醜惡的笑容，那饑餓的憤怒，那雄大的宴會，那虛榮的驕奢就在那血肉與骨骼之中有着無限期的排演！

從生命裏我只得着醜慘的夢，流着懺悔之淚，咄，聰明的英雄，不要以我爲無用的懦夫，我心裏有善，但它就未生長即萎逝了！

我也有力，我也有繪畫的天才，但這猜慘的黑影不是我的材料，我要表現的是聖靈的力量，不是這淫污與枯髏的屍身，我願永遠的沉默！

從此後，我不再流空虛的哀淚到地獄之荒塚；我將在這超生命的天堂（因為我是死了），沉默的思維，並且無語的看地獄中黑影的慘變：

啪！人間！啪！地獄！一片慘黑中有無數骷髏在轉動！

無論春天的美花，秋日之落葉，均墜落於卑污之陰溝！

老婦與少女有着一樣的靈魂，活人與死人同臥於墓地！

天空的日光與飛雲在無語的飛行，草木亦在自生自滅！

就這樣，我苦笑着寫此痛心的怪字，從天堂投於地獄！

沉默

慘慘，悽悽，在秋之墓墟裏，一切似是垂首之薔薇，在沉默，嘆息。這是一個朦朧之世界。我游歷於蒼黑之空虛，看不見榮華的一切，聽不着纏綿的樂音，如一行動之屍骸。

如今，我這充滿血液的雙睛，將永遠見不到人類之世界，只能與惡鬼之輩偕遊，私語歡舞。我拋棄了英雄之宏願，將不在任何天下，無論是藝術，政治，事業，得到成功之喜悅。倘能使此無骨，無血的生命之痕跡，隨毒草而腐逝，隨落花而殘凋，卽是我絕大的幸福。因爲，我已完全敗滅，將不混跡於人類汚濁的史册。

——故，今日，我將傾瀉出我的生命之幻夢。

自有生之始，我即服了人間痛苦的毒藥，生命即浮上黯淡的黑雲，那光明的青白之世界，已遺失於不可知的夢境。以我痛苦之聲，表示我不堪容忍這地獄的災害，表示我平靜光明之世界的殘滅。但是，我已深墜於無底的黑暗之陷阱，落於命運之掌心，將永遠不能自拔，因爲，我已是一個不能自救，無力自救的奴隸了。

因是，我看見世人之微笑，眼淚即從骷髏的窈窔的眼眶中滾滾落下！

因是，我聽是世人歡歌，血液在臭皮之囊中即將漸漸冰結！

— 68 —

——世界完全被魔鬼佔有了，情愛，友誼，業已消滅！

自能行走之始，我卽準備作一流浪的尋求者，以手探求日光的所在，以啞喉讚歌愛神的偉大；而今，我走入了空虛的墓穴，消失了熱與力，疲倦得似一久病之老人。

★ ★ ★ ★ ★ ★ ★ ★ ★

慘慘，悽悽，在秋之墓墟裏，一切似是垂首之薔薇，在沉默，嘆息。這是一個朦朧的世界，我游歷於蒼黑之空虛，與醜惡的魔鬼偕舞，與骷髏的尸身作伴，業已失去了溫情。

從此，我將不掉無味之眼淚，並且，天哪，我更將這眼淚變作寶劍，刺傷了美麗的夢幻。我再不從夢幻的懷中，痛飮苦酒，行走如偃戶；是以，因葬送了愛與希望，我將在寂寞的世界—即如是人間悲苦的地獄—，度過風霜中秋花似的殘年！

人類，勿聽我懺悔之語，它是毒藥，是寶劍，將刺破你幽秘之心，毒殺你歡樂的生命。這語言似一團濛濛的冬霧，裏邊有着骷髏在移動，骨與骨之磨擦，作出了顫慄的大樂。愛與恨，善與惡，殘暴與慈善的花朵，將來都會開展在我的靜寂的墓頭；那里，將是人間最凄涼的所在，因爲葬着一架永世悲哀的骨骸。

噫，這就是我追求一世的結局：墓頭寥落的衰草，寂寂顫慄於斜陽！

從此，在嚴肅的命運神壇之前，我低首默泣，打破沉默的死寂。

—70—

從此，我不再遭虫蛆的吞噬，魔類的傷害：在一個極端平靜的黯穴（那就是我最後的幸福的宮殿）裏，我流着微笑之淚。這一刻偉大的沉默，假是美麗的春花，點綴着風霜中秋花似的殘年！

我縱啞口一世，也應唱起欣歡的歌詞，

在這一刻聖潔的呼吸……

又走出鬼的天堂

一個暴風雨之夜，花折，樹摧，屋毀，葉落，雷與閃更增加了世界的恐怖，人類因是死亡過半，但却是鬼的歡舞之時間。

這是造物者賜予人類的恩惠，我由恐怖的血痕模糊的殘墟逃進了鬼的天堂。在來到此光燿的世界時，我沒有伴侶，自己走了寂寞的長途。

我心情顫怡，面顏顯出含淚的微笑。

悄悄走入一個歡舞之所，在無邊的慘黑裏，見台上一對青年男女正在歌舞，表演：男的要舞頭髗，女的要舞薔薇，同歌着生命之讚曲，但沒有音響。忽而睥視，忽而微笑，忽而長吻，忽而惡鬥，最後幕落時則抱頭痛哭。在台下的暗影中，似有萬千慘白的頭骨，由仰視慢慢低垂，落於無言的迴憶。

偉大的沉默！崇高的藝術！於是我恣情高歌，放聲大哭，轉身向我腐爛的屍骸，作長久的嘆息，默想。

從此，我將是一個無歸宿的游魂，流蕩於浩浩的天地。

一切，是奇異，美麗，馥香。我爲了一個孤獨的君王，披星戴月歌舞於萬花之山的泉邊，露宿於碧綠的草茵之上。但在孤獨中，星月中，我死了的幻想又慢慢的復活，一個模糊的慘影翱翔於眼前的花側，於是又伏於化石之上，作長久之沉默，暗泣！

悲哀又縈繞於我這病殘無着之游魂！

就在這沉默的世間，我如一石像突坐孤思：忽然，往日幻變爲少女與老婦的戰鬥，飄飄，飄飄在疲乏的眼前。終於老婦以枯焦的手用利劍刺毀了少女的心，將鮮血淋淋的一顆可愛的心，掛於殘銹的劍梢，微笑的醜態消滅了。

我於是憤怒，又要打破這鬼的天堂，這仍不是我的世界！

在不知中，我永遠是英雄，但同時又是懦夫。我有這樣的悲劇的心，時而在沉寂微笑，時而在廣場痛哭，作一生放浪之狂人！

我不知這是人或鬼的天下，但是黑暗，恐怖，陰森，孤獨——

—74—

在不知的方面裏，我一人還在摸索着，含着苦淚，悲哀在走自己的路………

慈悲的時代

夜已來臨，苦風在荒林，平原，山谷狂吟。
這是一個平靜之夜，冷冷的月光正微笑於嚴肅的宇宙。
如在一個無稽的狂夢，我這異代的遊客，正無目的的遨遊。
經過了悲悼死者的飲宴，看見了人間最慈祥與平靜的微笑。
經過了慶祝誕辰的盛會，人們臉上塗飾着惡毒與懺悔之淚痕；
在一個荒蕪的墓垣我止住了踉蹌的步伐，於白骨之上我發現了一個絕大的秘密，在它湧出的血痕上，正飄着爲母親摧心而死的怪字；

—76—

於是，我急忙的走開，想在殘草叢中得一個安靜的休息，不意那殘草中正是無數毒蛇的故居，那毒舌紛紛的吻着我失掉溫情的面顏；

我想，這地域（以前我以爲是人間靜謐的宮殿）不是我的天下，在苦風與月光之中，我仍得向前探索，斯時，只有鵑之悲吟爲宇宙的音樂，只落夢爲宇宙的生命。

「將希望毀滅，以災害爲人類之幸福！」

冥冥中，我聽見了上蒼的命令，於是，我眼中流出了酸血！

在頓足，痛哭之後，我倒臥於無人蹤跡的荒岸，似乎入眠了：

但，忽然覺着面顏有着刺心的慘痛，醒來時，見血流中有無數骷髏的頭顱，他們都是被害的青年的男女，上邊飾着沉默的嚴肅的氣魂。

我想這是一個荒夢，但卻由我未瞎的雙睛作了眞實的證明，天乎，請使我的雙眼以毒煙蔽瞎，使我的頭顱混於未知之萃！

「在人類萬載的歷史上，只有這是一個慈悲的時代，勿多言！」

我心情毒醉，於是唱起讚美的歌曲，悲哀已化於穹蒼之烏雲。

從此，我歌着人類之幸福，修飾着我的遊步中的情調，

在苦風冷月之夜，我孤獨的編著我的爲人類所不了解的秘奧的詩文……

愛

從愛人的眼中黑夜死了，

孤自行吟於落葉的荒道。

雖則這是山徑，無星月的黑夜，但心中却燒起美麗的喜悅，綺夢，像走向天堂的坦途。

夜霧正迷漫，冷風狂吹，雙眼滿含淚水，幾結成晶瑩的冰。靜寂的林中，途間，夜鶯息止了命運的歌喉，沉於不可思議的夢境。斯時，只短促零亂的足，音和着熱切偉大的心曲在道途的幻想中，兩顆聖潔的靈魂，佔有宇宙的全體，比一切偉大，神祕，病與死亡與命運亦低首而爲奴隸。

將因此從玫瑰飲下青春的美酒，

生命的諧調得了偉大的和諧。

在道途的幻想中，因了愛，將一切煩惱，悲哀儲埋，雖足踏骷髏而行，但決不以灰敗在滅而嘆息，哀憶。愛之王國中，心頭幽悅的微笑，美的歌曲，將超於一切偉大的藝術，將高於有史以來英雄的動業。

這正是微笑的薔薇之世界。

在美的夢之追求中，
妍麗的春花飛落了！

從此，愛情的曲調，似一首浪漫的象徵的詩詞，被月光彈了，皮鶯唱了，衰韻散於空闊無語的天府。

似夕陽之餘輝，心中的火慢慢息了。最後如沉默之骷髏，薔薇不再生長，開花，百靈亦不在其上歌唱。一切，在孤另的沉默中，留起嘲笑的音調，於是，無光的雙睛，滴下空虛的老淚。

在孤老的彷徨中，一切顏色慘變了：春，百花微笑的春，似是衰老的冬天；冬似慘獄，無光，無香與無酒。

宇宙乃無救的慘絕之空塚，

零亂的荒草顫慄於殘陽。

在孤寂的彷徨中，如一醉人，癡狂於冷風，似受了慘烈之毒刑。微笑之雲散了，音樂亦不再留於絕望之口。生命如秋葉殘了，只待命運的死神之邀請，將無光，無色之遺骸，付於荒墟之塚，化於黃土之草下……

這正是空虛寂寞的黑夜！

—82—

狂者之遺囑

於仰天長笑，痛哭流涕之後，無涯的幸福之生活，此自開始，是以地獄變爲天堂，骷髏變爲美人，荊棘變爲薔薇，一切如一奇異的步，在不知中起始，復於不知中完結。以後，微笑將永遠粧飾着我的世界。

不堪想，那逝去的往日！

……往日怯弱的生命塗着灰色的羞辱之顏色，如一盲者之老人，在夜深彷徨於街頭，作無目的之流浪。咄！命運之鑼，敲破了幸福之塔，只慘哀的夢影，纏繞於古老的墟痕，有如墓中死屍之無語，蒼夜濃密的暗霧。

在慘亂的人海中失去了我的心。生命亦隨春花枯萎，似一個傻的古槐，將不發芽，生花。因不甘作命運手中的君子，始酗於烟酒，在含淚的苦笑裏，作放浪之狂人；希冀將楓葉之慘紅流於吾身，作生命悲壯之顏色！

一切，於我，不過一個衝突的惡夢！

不過，人類，在今宵我要自殺的一夜，聽鐵鍊下我的靈魂之慘叫，這聲音將永遠爲怯弱羞辱的餘痕！自有生以來，我即呻吟輾轉於此海刑之下，作一忠實之奴隸！

呵！—奴隸

……我終是是一個馴順的奴隸，軀殼乃情慾與理智的戰場，生命乃一團不分明的暗霧，似一疲倦之天鵝，我游泳，輕眠於穢水的污潭；如是永生未見陽光，已僵死於黑暗冰冷的化石之塚。

天知道，我也曾在奴隸之囚獄中，忍受了不堪容忍的罪惡，災禍，使聖潔的靈魂着了暗慘的色澤；在腐朽，蠢愚的靈海中，也曾有一兩聲慘痛的哀吟於慄慟不成韻律的口唇。今，孤自一人在夜深，撫着愴痛的不可醫治的傷痕，將不復任沉默與哀思剝噬此最後之呼吸，故在古城之角落裏，於人類歡宴之觴中，我還被棄於人類的孤客，將無留戀，無忌妒的悄悄的脫逃——

在古林寂聽夜鶯之歌！

任天下之兒女毒死他們的父母，妻子藥死了她的丈夫，兄弟朋友懷着欺詐與蔑視的惡意，在幽祕的世界進行其英雄的事業。名譽，富貴，戀愛都是他們的勝利品，將驕傲之微笑，甜蜜之吻，粧飾於其面顏，身邊。這——

一切，於我，不過是一個衝突的惡夢！

最後，天哪，我的心像是一座古老死了火山，無光，無熱，只餘模糊的靈魂之殘痕，爲敗滅的粧飾：怯弱慄動，爲不自然的音律：一切，似一盲人，失去了路徑。

在今宵，我要自殺的一夜，只痛哭往日與現在寂寞，悽愴，怯弱的留戀！嗟呼，生命，往日爾倘不如一丐兒，街頭流浪者之自由，於星月的輝下，飲着甘美的良酒，以度放浪之生涯！萎了：在街頭之煙海，塵埃，與墓林之徘徊，低泣中！

從此，我去了，在黑暗之夜色，神秘的哀惋中；浪浪裏孤飲醉酒，使此疲憊之身軀，入於良夢，在另一世界裏，歌着枯萎的玫瑰的讚曲！

這裏，有宇宙最毒惡之花兒，有刺，能刺瞎了雙睛；有藥，能毒死靈魂！這慘死的身軀，成了廢墟，作魔鬼無蛆虫歡舞及狂飲之場；

並且——
人類將不爲我墓頭種植鮮花．
上帝將不來我墓頭痛哭，
和平與幸福之世界，亦不再飄渺於惡夢………

—88—

獻於評梅之靈

又是這樣的深秋，又是這樣的月夜；在飲宴酒濃的時候，我們都寂然無語，慘淚滾流：

評梅，你到那里去了？

想，公主墳畔的楓葉，二閘銀白的瀑布，雖不能維繫遊子的倦魂，却也曾使我們深思，迴憶，感到了淒涼廢墟的荒情！

想，北海月夜的棹舟，與銀波相諧的歌喉，曾是那樣榮華，悲壯；而今，那里已斷絕了蹤跡，空留下夜半的松風！

現在，各自有着神秘的天下：在此你行將徜徉，遨遊的世界又添幾許漆黑與慘紅的顏色，淒冷悲哀的聲調，各人之心頭已着了灰敗的印痕。此後縱流落山海，狂笑舞廳，作一世狂放的英雄，又何補於心頭的空虛？朋友，我們已將這幾顆血淋淋的心，置於將及敗滅的紅爐，使其在此寂寒之長冬受些微微的溫情。雖則我們宛似秋風苦雨下之花英，雖則我們宛似戰場上的老馬，但我們在彈着古老的孤弦之琴，我們在聽着寒風中古松之夜鳴，唱着生之幽秘的歌調：如是我們尚徘徊於人間，直到長夜消失了明星，人間消失了夜蕊，那時候，那時候啊，我們已將生之玉杯及孤弦之琴碎碎！

現在各自有着神秘的天下：你在另一世界，誰知仍有否萬馬飛騰

—90—

的維憶，氣吞山河的壯志？誰知是否仍在花間刀下痛飲，山巔海邊遨遊？那里的春天也許更有動人的好花，飛鳥，流泉：那里的秋天也許更有可感的塞風，松鳴，夜鶯。如今，你微笑了罷，你在人間掙扎的傷痕，在人間所感的缺陷，在人間所流的慘淚，已變爲珍寶，永遠粧飾着這秋色秋意的地球——在這里，你知道，無論在白晝的談笑，或幽夜的夢境，你嘗遍了一切慘痛的苦味！在沈醉裏，你悄悄來到人間，在沈醉裏，你又無言的走去，這正是一個不解之大謎：任時光的洪流不息的飛奔，爲你唱着那不可捉摸的慘情之夢的大曲！

想，爲了上帝的慘酷，你竟拋棄我們這一剛！在夢中你乃皓衣的天使，仍微笑在我們的中間，但，誰知那卽醒後空虛的長嘆！

想，在去年的別宴，你尚禱告十年後仍有這樣的痛飲！誰知這宇宙，人世，地獄，在今天已漫上了不可毀滅的淒冷，黯淡，愴寒！

又是這樣的深秋，又是這樣的月夜，在飲宴酒濃的時候，我們都寂然無語，慘淚潸流：

評梅，你到那里去了？

人間

天！我這不幸的筆顫慄了！

這不是一個生命的世界：在污氣淹沒的陰溝，靜默的蒼綠的死水中，有着無數的毒虫游泳，舞跳，歌唱～～～

就在這刺目的穢水中，死了一個聖潔的天鵝～～～那就是我的理想。

那天鵝，不知神祇的莊嚴，聖旨的權威，人間的幸福，惡魔的可怖，不幸，她落於人間穢毒的池沼，被毒虫噬了！

那天鵝，根本她自己就是一個天國，不知世間有戰亂的火花，不分金黃的宮殿與泥草之茅屋，白水與苦酒同味，葬鐘與歡歌同調，不幸，她落於人間穢毒的池沼，被毒虫噬了！

如今，在荒墟，在不幸者之墓野，我以顫戰的病弱的手，爲她（我的可憐之天鵝）掘了一個深深的墓穴，將她的殘軀安葬。從此，宇宙間（不是常人的世界）又添了一個新墳。以星光月輝作其永遠之粧飾。

我不敢向上帝與撒旦祈禱，使她的幽靈平靜，上帝與撒旦就是傷害她的聯合的囚犯。我不敢想這不幸的屍身，在風雨霜雪的折磨中，就如那春日盛開的花朵，有如何長久的存在。今，天宇蒼黑，殘月淒

照，在苦風中，落葉中，我在這坟地將冷酒一杯一杯的送入寒唇～～～

天呵，人間就是一個永遠不能顛破的獄牢！

天呵，從此我失了生命的主宰似海船失了南針！

人類不會有絕大的不幸就如我這悲慘的命運！

無人知道我這樣的不幸，我的自由的無畏的理想，業已慘逝於毒蟲游泳的陰溝；現在，我的手足雖未帶着（誰敢預料！）慘刑的鐐銬，但我的喉巴被毒藥薰毀，不能唱了！

就在這蒼黑的險途裏，我將作一世疲啞的詩人，向前摸索，追尋……

無論走到骷髏之塚，踏進墮落之窟，眼淚亦不再落於幽寒的星光……

我想，我已不能看明日（更悲慘的日子）的朝暾與斜陽，在這悠久的夜色；未知的去路，我將徬徨起始，復以徬徨作結……這不是我的希望，天知道，我所崇拜的寶劍銹了！

因是，我再經過墓地，將不能以寶劍斬死那啄食死屍的野獸，將不能驅散那團殺不幸者的惡犬，我的力消失了，如一病癩的英雄。

因是，我將屈膝於我所毒罵的神祇，我所恨惡的惡魔，作死神的奴隸，毒菌歡舞之所：生命變成了一個無生氣的木偶宛如聖徒。

逝了，我聖潔的天鵝，在人間穢毒的池沼，被毒虫噬了！

我願意從此瞎了雙睛，不再看醜陋的怪影，世界變成一坐黑穴；

—96—

這顆悲哀的心亦將如死了的火山，失去了風雪霜雨的威沉。
一切，無論幻影與思想都已凝固，似是海邊古代殘遺的化石，
這世界，這世界啊，那才是人類所未曾知道的絕美的夢境……

期待

如一戰場上受傷的英雄，我倒於荒涼的草原，將心頭積壓着的五千年的創傷，暴露於微微閃明的星宿下，沉默的沉默的希望着天使賜予天國的消息。

此時，在期待中，我想起已往命定的慘敗，希望的毀滅，於是，我知道，這荒涼的草原將是我永眠的空虛的黑幕。

我想起我是一個永世流浪的人，宛如暮夜之流星，生命在剎那間便會凄滅，於是，從眼中流出了酸苦的紫血，使蓬蓬散髮染起了罪

恐，怯弱，悲苦的跡痕

天知道，從地獄到地獄，從魔窟到魔窟，

宇宙被黑幕籠罩，無有光明的大旗飄展。

在此黯荒無人聲鳥語的處所，烏雲在慢慢律動，陰風在陣陣狂吹，而我，在此死人之世界，寒漠的荒野，竟爲生命唯一之妝飾了。

嗟呼，在此煩擾悽慘之世界，我不曾睜開眼睛，

觀察人類之姿態，心意，便已永淪於幽森之黑獄！

這慘絕的恥辱，將爲永眠的喪衣，覆着灰敗的骨骸，以及從人間帶來的憤怒，恥辱，慘笑，沉默！

我不曾流過英雄的聖潔的血，卽已遭此永世奴隸似的毀滅，天

—99—

乎，這豈是上蒼賦予生命的本意？

我低首沉於深長的悲憶！

就在此微微閃明的星宿下，我以病殘的手指，（今，我起始從絕望裏相信我尚有絕大的力量，）敲擊着往日長眠的棺材，於寂寞的鬼之世界，發出些人間不曾有的樂聲。

我不是被人稱讚的天才的詩人，音樂家，（請相信，天才的詩人，音樂家在寂寞困苦的人間生存着），來妝飾人類的華麗，安樂，微笑；而是，而是不解人類的榮華，富裕，名譽的愚夫；一切是可驚異的世界，一切是可憎惡的世界，在其中我葬埋了黃金的年華。

青春似慘遭暴風雨的花蕾，於魔鬼的舞蹈中消失了！

任含淚的往日無語的長眠，因爲在已往寂寞的，孤獨的流浪裏，我受了無數的諷罵，恥笑，傷害，終於獲得了這不堪容忍的結局！天知道，我的孤魂中雖則滿含創傷，但也有着不死的雄心，故而現在，從破滅的希望裏產生希望，從死的殘骸中產生生命～～因而

看烏雲律動，如天女妙舞之姿態，

聽陰風凄鳴，如聖者吹奏之大樂。

我不再咀咒怪類，在我的眼中它已是滅毀的殘骸；我不再負戴刑鍊，因爲已不復有奴隸之心情。並且——

從此，我將被人信仰的神祇與命運踏在脚下，

從此，我將被人追逐的一切的珍物擲於陰溝，
從此，我將被人容愛的惡毒之生命付於利刃！

這正是黑夜，寂寞無人踪跡與聲息的黑夜，我撫摸着五千年來積壓的創傷，以眼淚與星光洗濯此深重之傷痕。

黑夜重重，黑夜重重，從我疲啞的喉中，唱着微弱不成歌調的韻語，作爲尋求墓地途中的戰歌。這，正是時候，將從此荒涼的草原，頎傑的立起，走向不知名的國度～～～

這，不是一個惡夢呵，在慘慘的陰風裏我已佩上血痕模糊的寶劍；如一英雄，如一英雄我又——

重新在人類（曾絕使我痛惡的字眼）生命之國中，
開始我的摸索，尋求，戰鬥！

因此，我將以上蒼至深至廣如海洋的慈悲，殺戮了蠢惡的敵人（爲了減輕他們的罪惡）以其血肉與骨骸爲建築理想殿堂的妝飾！這，不是我的慘暴，不是我的惡毒，更不是我的復仇，天知道，這是人類生命的起點……

我將因此而得救，從五千年來奴隸的地獄，從五千年來惡鬼的世界。如今，我仍以絕大之忍耐，接受不義之災害，在黑暗荒涼的途中，孤自走路。倘若有一日如一盲人會重見日光與星輝，山海與巨林，我將流出不曾有的微笑之淚，唱起第一聲喜悅之歌調，以結束此

流浪的發生~~~

天乎，我將有什麼悔恨，悲哀帶入墓地？

天乎，我還有什麼罪惡，污跡遺留人寰？

在荒岸凄凄的夕陽晚，顛顛漠冥的月輝中，我結束了

戰鬥，尋求，摸索的生涯，安臥於墓碑之下……

戀想

時間刦奪了我的靑春，那血紅的澤國變成了一池蒼汚的死水，任秋與冬施其暴虐的襲擊！

永遠是黑夜——在黑夜，那可怕的老嫗纏繞着我的靈魂，她手中有皮鞭與薔薇；她喜歡我的血，以這血渲染她的花朶。

漸漸的，漸漸的我變成一架骷髏游蕩於無人類踪跡的曠野。

我走出了人類的世界，她還我了那可愛的自由。於是，從我枯老的唇邊開始唱起甜蜜的情歌：我以愛情爲毒藥，利刃。

在曠場中，我看見青年男女在偕舞，蜜吻，然而，在他們的背後，就立着黑色的命運，一絲絲的拔出那青春的脈膊。

在命運的手中有着香豔的美酒，人類就在這美酒裏沉醉，入夢

我向上帝的面前懺悔：我作了一世的奴隸，受了一世的苦厄，爲了那醉人的玫唇，微笑，而今我變成一架骷髏，一個孤魂！

我披髮長吟，使月光減了光澤，羣星殞墜；我狂奔如閃電，使巨林蕩平，野獸因恐怖而死：自然的毀滅，增加了我的肌肉。

任少女在路隅痛哭以利劍自刎而死，我開始了新的追求！

從我眼睛射出的光亮，照澈着廟堂的無靈魂的泥胎，照澈着在花心寄生的蛆虫，照澈着死屍空漠的幻想，以及世界的一切。

我爲宇宙的主宰，我懲罰那懶惰好名的詩人，我要殺死那野心貪暴的英雄，我活剝那淫蕩無稽的少女，讓這天下變成地獄的天國。將我的青春埋葬於善良的人類的微笑，以顯示我勝於基督的慈悲。我是這樣的走出了人類，而又如是的回到了人間。

一日猶如萬載，我將踏破那君王的墓穴，使之爲一切毒虫棲息之所。如是，一日猶如萬載，我成了宇宙永遠自由的孤魂！

受難者的日歷

地球尚未成長之日

今天，我喝了一個毒醉，那濃豔的苦汁迷了我的心魂，這毒汁乃是一位健壯的美神的禮贈，我和她早已有了心靈的交通。

我一醉就經過了五百世紀，現在世界還是一團濃霧，冰冷的日光下仍然充彌着黑暗的悲影。我狂呼，悲嘯，但周郊仍然是靜寂，嚴肅。

—108—

在恍惚的夢中——因爲我饑餓了，那位我所渴慕的健壯的美神重復來臨；她滿足了我的願望，我游離於太空的倦魂又慢慢的睡去。

這時候，我只驚異，驚異着悵望空虛的大空。

我無言語，無希望，無爭鬥，像是一絲飄蕩的雲羽。

但是，天呵，我只需要那濃豔的苦汁，那是力，那是生，那是愛，那是宇宙的精靈，那是一團難解的神秘……從這里我獲得迷醉。

唷！毒藥即是我靈魂的糧食；賴毒藥我的靈魂結之於不散……

我與那健壯的美神交往，我飲毒汁，我入夢……

……………………………………

我微笑！

似是一個長夢，今天我看見了光亮的太陽。

在日光下，有了大地，有山有谷，有河有海，有蠕動的生物，有微弱的草花，有不知名的一切。啊，天！啊，創造者！

我追尋，我狂呼悲嘯，但是我遺失了我的健壯的美神！我已不再是飄蕩的游魂，我有了肉身，我有了眼淚，我有了血液！

一片荒原，一片荒原，冷的陰風主宰着這荒曠的世界！

饑餓時，無能滿足我的願望，我也再無那濃黏的苦汁，我學習着忍耐，鍛鍊着悲苦，消磨着時光；但我重新獲得了烈酒，迷醉着靈魂。

我雖然處於這奇境之中，我仍只有驚異，驚異着這世界有着填不滿的空虛。而且有了惡風，有了夜，有了恐怖，從此無常靜之日。

我無言語，無希望，無爭鬥，像是一具死靜的行屍。

在星羣閃耀的時候，我流了淚，寂寞，寂寞，寂寞！

天呵，我苦惱，失去了我的健壯的美神，我的愛，我的力！雖然有着雄健的陽光，幽嫻的月輝，但一切於我無情，我感到空虛！

吁！這一天似是走了一個艱難的長途，感到了病弱的疲憊：

我孤寂的痛飲苦酒，我厭惡那渺小的怪類，我採擷一束花兒，含着絕望的悲哀，入於深夢……

……………………………………

奇異的人類之世界

我將今天題作奇異的人類之世界。

我醒來時，是在巍巍高山的雲叢，周圍有着數千萬年冰結的積雪，而我的肉體已僵凍得如一具屍骸。我得動，我得冒險，我去求熱的光，求美的食以使我的靈魂與肉體生長。我哀泣着憶念那失蹤的健壯的美神，因為我感到饑餓與寂寞，我頌歌她的偉大。

經過了寒慘的陰風，穿過了古老的荒林，我以那美神最後遺贈的寶劍，刺殺了猛虎，斬絕了毒蛇……走了一個遙遠遙遠的險途。

呀！我進了人類的世界，我驚異得滾出了眼淚！

這里有陽光，美人，嬌花，芳酒，我享受了從來未有的生活。

在歌舞之場，那裸體的美人在彩燈之下歌着，舞着，吻着，我的靈魂迷醉了：呵，那奇異的靈魂的幽韻，那白晰的肉身的閃動！

我飲了苦烈的美酒，從白玉的杯中，從美女的玫唇，青春，青春，生命，生命，生命！我以悲壯的歌喉，歌頌着美麗的，宏偉幽深的生命！

我追求，我入夢，我悲嘯，我狂呼，但宇宙露着嚴肅的鎮靜！

那曾經吻我愛我的美女死亡了，只可怕的幽魂纏繞呻吟於我的周身！那被我鍾愛的花朵殘凋了，殘瓣已隨風飄去無有方向！

從此，我墜於幽暗的煩惱的深網！從那另一時代的美女的身上，我看見了一具可怕的骷髏，在其上附着悲淚滂渤的衰魂！

——我沉默，沉於陰森的回憶，以酒與歌燒着我疲倦的靈魂。

……………………………………

在另一舞場，我看見了更劇烈的鬥爭。他們是爲了王冠及權位的尊榮，故而驅逐無數的羣衆，走向戰場，在黑夜中有燭天的炮火。

骷髏成山，血流成河，村市及城堡大半毀滅……

於是，野犬及走獸及飛禽得隨意蹂躪屍身，良家的婦女爲衣食變爲娼妓，流落於廢墟及洞穴！世界旣有凱旋的輝煌的盛宴，又有暴露荒郊的骨骸及流離失所的孤魂！

這是一個不解之謎：人類以各樣的鐵鍊堅固的束縛其靈魂，使之如不見天日（啊，陽光是怎樣的難求！）的罪囚，險瘦，萎黃，不自由！

咄！爲了王冠與尊榮，爲了美女及淫慾，世界陷於險惡的恐怖！
戰鬥正無已時，血流正在氾濫，禽獸正有着幸福……

神是失敗了，死亡了，他所賜給人類的智慧變成了惡魔，他所賜給人類的靈情變成了毒慾，咄！生之世界！咄！神之流毒！

在這世界裏，只有生，病，死的紀載；無幸福，無靜謐，無自由。人類不要陽光，不要熱；不要愛情，不要美；不要創造，不要忍！

我在極度的恐怖之中，鎮靜，思維，流淚，哭嘯………

我從人類之中逃亡，重復經過了遙遠遙遠的難途，忍了饑渴穿過荒漠，忍着寒凍奔過古林：我背後有無慘厲的惡影在追趕，悲吟！我得勝，我冒險，然而我又得毒醉，這一切都非神的良善的意旨：神是變爲污泥，被人類及禽獸踐踏了！

——我沉默，沈於陰森之回憶，以酒與歌燒着我疲倦的靈魂。

……………………

可笑的人類之末日

唷！可悲，可泣，我這不幸的行旅！

我仰臥於巍巍高山之上的化石，恍惚如入夢境，一切慘刻的魔影

—116—

似萬支毒箭射於我的靈魂，我睜開了朦朧的睡眼：

呵，人類因榮樂，衣食，美女而爭鬥日烈，全世界彌漫着毒煙，全世界彌滿着骷髏及血流，只有着殺死了自己的弟兄親族而歌唱的巨魔！

世界被這巨魔佔有，他有着極度的放蕩，極度的兇惡，他說，他就是眞理（人類應是眞理的奴隸），他執着眞理的火把……

然而，世界是變了！

地球（人類棲息歌舞的舞台）變爲魔窟，日光業已衰老，慘風狂嘯，萬物戰慄！這眞是一個奇蹟，在我的眼睛裏，世界由胎生到青春，由青春到衰老，在其中有無數可悲，可泣，可歌，可讚的事蹟。

我祈禱，我流淚，我伸虔誠的雙手向蒼天，不要毀滅這一切罷！

然而：

太陽已失了統治羣星的力量，並不因爲一切變爲仇敵，變爲毒害，變爲死傷，而是自然自已也衰老了！

花草，巨林因陽光之疲乏而首先枯萎！

人類，禽獸因陽光之疲乏而亦呈病象！

最後，地球陷落了，世界毀滅了，只有一團漫漫的毒煙……

憶，我似作了一個長夢：那王冠，榮譽，美女，戰鬥隨地球而陷落了！

天阿，我祈求我的健壯的美神！我要生，我要愛，因而我入夢！

這一天我最堪紀念

我從夢中含淚的醒來，而這淚就是最後之淚了，我祈禱。

這時候，我只驚異，驚異着悵望空虛的太空。

我無言語，無希望，無爭鬥，像是一絲飄蕩的雲羽。

今天，我喝了一個毒酢，那濃艷的苦汁迷了我的心魂；這毒汁乃一位健壯的美神的禮贈，我和她業已含淚而愉快的重逢。

我的健壯的美神，還是那樣嚴肅，健康，年青，美麗：為了愛她說也流了稀有的眼淚。她走了，我仍處於黑暗的空虛，在狂呼，悲噓！

我孤寂的度日，艱澀的過活，在冰冷的日光中我仍然作着大夢，

而那健壯的美神仍然滿足我饑餓的願望，我也歌唱，我也微笑。

我飲濃豔的毒汁，那毒汁就是生，就是力，就是愛，就是宇宙的

精靈，就是一團難解的神祕…………

那健壯的美神是我永遠的伴侶，我愛，我飲，我入夢：

…………青春，青春，永恆，永恆…………

我以慘痛的靈魂去讚頌！

慘夢

一團毒烈的火光燃燒在我的周身，因是我走到了幻滅之境，
在這冰天雪地的國度，如今我雖被燒毀，却得到意外的喜悅；
任骨灰隨寒風吹送到赤道或冰極，我只有嚴肅的冷厲的微笑，
我自由了，我自由了，雖然我是一個有史以來失敗的懦夫！
從此，我將不再詛咒這苦寒的隆冬，陰暗的地獄，如今雖仍孤處死地與虫蛆為伍，鷙鶚為侶，但是我自由了，我自由了！
吁！人類！我的祖先，我的同儕，我的後代，你的微笑，你的口

唇，你的勝利，還不如死城陰溝積雪之皎潔，還不如瘋犬的狂吠爲有意義：我把一切毀滅了，言語，廟堂，紀念碑，墳墓……

在生時，我爲冬的奴隸，秋的婢女，不忖過榮華的春天，不忖逢着夏日赤色的雲。春花，它比美酒好，它比桂冠好，那豔麗的顏色卽是生命的驕傲！夏雲，它比美女好，它比王位好，那魁偉的色澤卽是光明的旗纛！這只是一個大夢，我病弱之想像不能描繪那美妙的良境，那里有苦難，有鮮血，有慘死，有眞理，也有美花！

我如今縱痛哭那敗滅的已往，受難的基督也不會爲我流淚，使我爲他的神蹟而復活，仍到生之世界，以我熱情的血淚織着英雄之大夢。

但是英雄（不幸的聖者），他的靈魂猶如風侵雨蝕的化石，猶如被虫蛆殘噬的棺木的穿孔，這是命運的意旨，他的苦難，他的死亡，將不如被漁人置於釣上的蚯蚓！寒風有如利刃業已把他視爲奴隸的俘虜…………

這神祇的慈悲業已普遍了天下，經過了無數的世紀，

如今以我痛慘的眼淚宣示着這世人不敢聽聞的消息！

我再也不會有什麼希冀，希冀比陰溝之汚水更苦，比被虫蛆爬噬的死屍更臭，任一切死亡了，從我的心底。吁！死亡！你是這樣的平庸，你是這樣的寂寞，並且是這樣的無有色澤！

在這死亡的國度裏，汚穢的罪惡，淫蕩的妓女，殺人的惡漢之魂

仍然光訴於黑暗的陰影裏！江澤變爲血流，樅山變爲骷髏，猶如這蠢蠢的灰色的人類的世界：神與魔同爲偶像，聖哲與奸賊同爲柱石！

我今日，如生前一樣的在流蕩，在恐怖，在逃亡，任何處都有刀有槍在毀滅我的魂：我爲生之囚犯，我爲死之寃孽，但我的罪孽尙不如荒野的毒草。生時，我不曾透出喜愛夏雲的消息，正因它含着毒烈的陽光，會燒化人類的魂與骨血。

吁！全宇宙不過是一個魔鬼的玩具，那悲喜哀樂的人類更爲醜陋的丑角，那戀愛，名譽，富豪，即爲其罪的屠場。從這里——

薔薇踐踏了，靈魂變賣了，猶如行屍的人類進行其無夢的步態。如今，我踐踏着這游蕩的屍體，在彷徨着，在彷徨着獨自流蕩。

在流蕩裏，我過着血流，過着骨山，過着殘廢的宮殿，
無日光，無青春，寒霧漫天，陷井遍地，人類變爲僵骸！
但是，我自由了，從此展開我的夢翼，翱翔於太空，
那人與鬼的世界漫漫的消逝，在流蕩裏，我落了微笑之淚………

美宴

夕陽已從山崖墜落於荒谷，片片紅霞已慢慢沉於夜幕，斯時——

我立於高峯之上，送全城疲憊的魂靈，淪於寒漠的煙霧。

一切寂靜了，只殘冷的街燈在黑影裏無力的閃明；

這是偉大世界的開始，鬼魔以人的頭顱作爲飲器；

在此絕大之沉默中，野獸啄食了人類綺麗的美夢！

冷風似一利劍刺入了我的殘軀，我因而仰臥於血泊中的荒草之上，林風在嗚咽，寒星在落淚，無數的惡魂在我面前揶揄，驕傲，譏笑！

我忍痛立起，嚴肅的向四周觀望，從慘黑裏我不見老翁與少女蜜吻，毒蛇向青蛙調情，荊棘與玫瑰偕舞：啪！這調和的世界！

經過了萬里荒漠之流落，偶然在這里見到毀滅的（這里的人類死了）慘劇，因而在另一世界所遭遇的怪類，一幕幕的在面前飛舞。

——少女卽如毒蛇，老翁卽如青蛙，失去了理性的鍊鎖；

——微笑卽是毒劍，溫情卽是烈火，滅殺了英雄的大夢！

因了怕這惡魔的思想的襲擊，我設了一個奇異的美筵，款待我的慘痛的靈魂：酒爲紅血，食爲鮮肉，一滴滴一片片都來自我的身軀。

我苦笑着對此酒肉的奇異的香味，豪飲，饕食，於沉醉滿意之中我唱起讚美的聖歌，我把這一切當作聖女的禮贈。

此時，我無有眼淚與嘆息，這正是一個絕美的境地！

在狂歌之後，我忽然沉於幽默的微笑，吻着自己割裂之傷痕，天哪，這比被野狼或別人所吞噬爲更幸福！因爲這是一個不解之神秘。

——我的靈魂早被人剝食，如今只賸一個糢糊麻木的黑影！

——我的身軀早被毒箭射遍，如今只賸一個血肉狼籍的尸骸！

今夜，我狂笑了，以自己之血肉作爲美筵，乃上帝最聖潔的恩惠；在這世紀唯愚蠢的人，才是榮譽，情愛，希望的寵兒！

我走遍了古堡，廢墟中已無皇室的遺骸，唯殘磚堆瓦之中尚有蛇類出入的蹤跡：這已不是人類的世界了，除了蛇羣只有蒼苔！

我走遍了舞宮，殘墟中已無有妙女的香痕，唯古林之上尚有梟鳥的聲韻：這里已不是人類的世界了，除了梟鳥只有苦苦！

這正是黑夜，當幸福的人們入夢的時候，我將悲慘的往夢置於幸福的靜謐的黑棺，任往日消滅，任將來空幻，而以現在狂歌，舞蹈！

我孤醉於羣山之峯巔，明月與星宿乃我永久之侶伴；

無論在何處，我都任花兒自開自落，永遠無有讚語；

街市殘燈下的病魂已不在我的酒杯之中顯耀其殘影！

就這樣，我滿足了，勝利了，將殘餘的酒肉投棄於幽谷之中——

我將寶劍投刺於無邊的慘黑，然後自己微笑的投於萬丈深幽的懸崖……………

靈與肉之災禍

「天啊！」在荒蠻的草原，我仰天長嘶。

在幸福者所歌讚的新時代中，我成了無家可歸的孤魂。

這是一個寂寞的世界，赤地萬里已無人烟，只熱烈的陽光仍然無忌的放射其光輝，星月在夜間亦陡然感到了寂寞。

我游蕩着，乾渴與饑餓與我難以抵禦的襲擊，泉流涸竭了，花卉草木已充了別人的食料。在荒涼的途中，只有散亂的白骨為鷹鷲棲息，張着血口的惡犬為全宇宙的點綴。

在這世界的人類早已流亡他處，那老弱者被其父母與子女遺棄，作了不相干的同類含淚之食料，其殘餘留給了鷹鷲與惡犬。這老弱者就是我的親人，同爲那不仁的上帝之子女。

就在這世界，我雖被乾渴與饑餓所纏繞，但我還不能消滅了那可怕的夢。

惡夢作我來此世界；惡夢亦將送我走進墓地！

天知道，我亦是亞當及夏娃的後代，我愛美的山野，美的花卉，美的少女及由這一切所飼養的美的肉體與靈魂。而今，一切遭了巨大的慘刦，英雄被囚於囹圄，善良者乃貪暴者之佳肴，田野變爲魔窟，花兒變爲殘草，一切都被踏躞於時代鐵蹄之下。

我含淚的忍着創痛在尋求：尋求被踐踏而失去的美夢

這地域只我孤零一人，忍受着苦難，在危難的境地中彷徨，摸索；晝與夜失去了界限，苦與樂同味，就這樣我仍在追尋——

我所遇到的只是殿堂及古廟的遺跡，那里已沒有歡歌跳舞的人類，沒有金色輝耀的泥胎，聖母之像位已被毒蛇及虫蝎佔據，而這毒蛇及蟲蝎就成了這世界的主人！

黑夜與白晝無止息的過往，我亦未曾注意我慢慢瘦削的影！

就這樣，我的遲疑的足趾仍然步步踏着恐怖與危難，不知要走向何處：這正是充滿了生命的世界，空虛業已死亡！

生命從未知而來；生命又向未知而去，從陽光及星輝中我看着了我的可怕之影；而這影亦將於陽光及星輝中消失。
恐怖的魔影正飛翔於我的周遭，鷹鷲及毒蛇將成我的保護者……
「天呵！」在荒蠻的草原，我仰天長嘶！

孤靈

實價四角

版權所有

一九三〇年六月付排
一九三〇年七月初版

著作者 于賡虞
發行者 北新書局

總發行所
上海北新書局

分發行所
北平 南京 開封 廣州 重慶
北新書局